JN097472

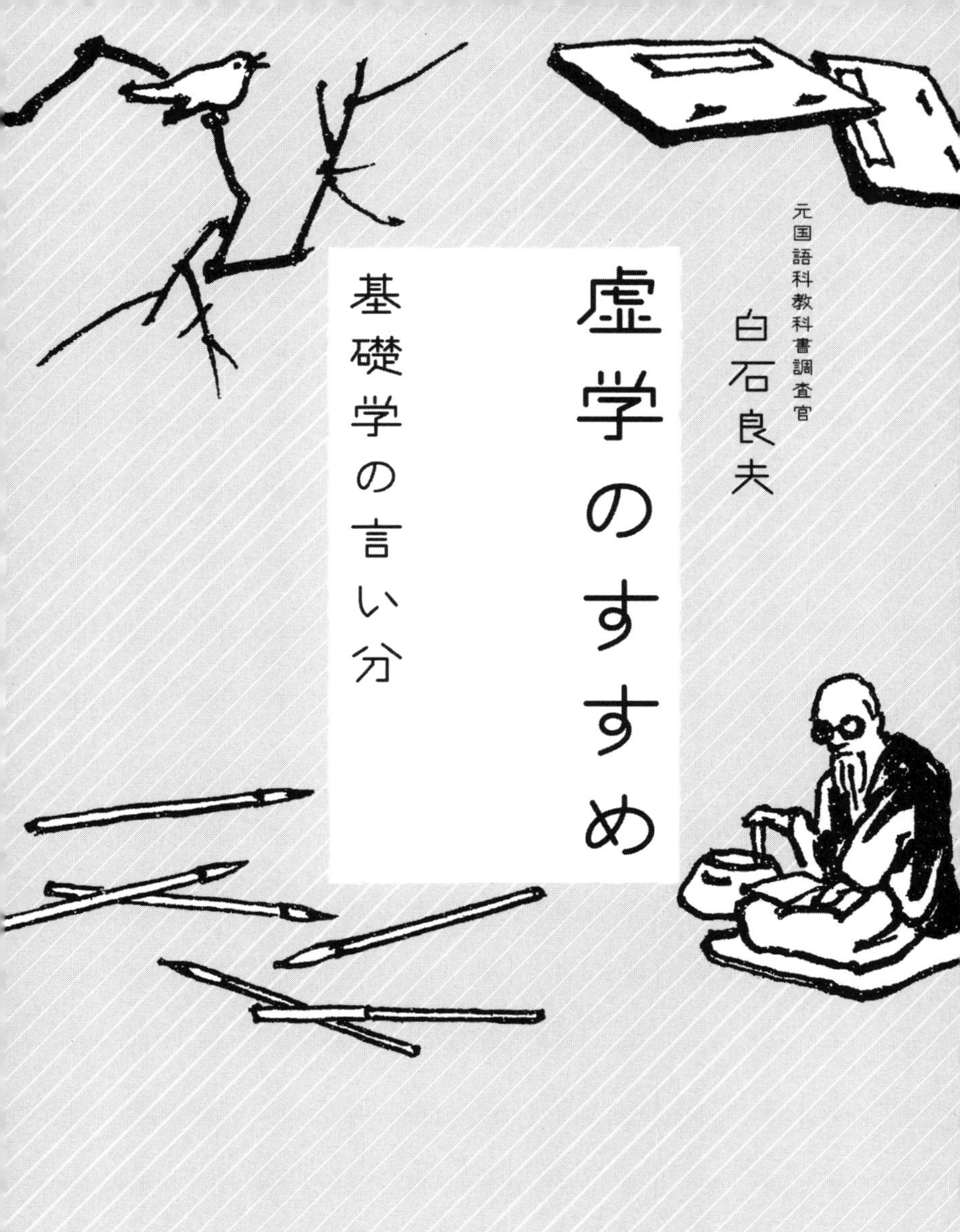

虚学のすすめ

基礎学の言い分

元国語科教科書調査官
白石良夫

文学通信

第Ⅱ部　文学青年から文学研究者へ

文芸部部室と無邪気な夢

中野三敏先生と和本修業

今井源衛先生と『学海日録』刊行始末

二人のタケウチ氏をめぐる因縁譚

資料を読み解く面白さ

語る〈時間〉、語られる〈時間〉

資料の提供か、成果の発信か

まえがき

だまされやすい人たちを陥れるまがいものの説明は、そこらじゅうにころがっている。一方、懐疑的な説はなかなか人々の目に触れない。それというのも、懐疑的なものは〝売れない〟からだ。

（カール・セーガン『人はなぜエセ科学に騙されるのか』青木薫訳）

数十年前のテレビドラマだから、その筋は忘れたが、鮮明な記憶にのこる挿話がある。

舞台は名門の大学病院の内科教室。主人公の友人がみずからの前歴を語る。

「この内科に来る前、わたしは病理学教室にいた。その研究室では、伝統的に、午後三時になると休憩時間に入る。三十分、助手やインターンも手をやすめて、お茶を飲みながら仕事以外の世間話をする。単調な実験の気分転換だ。わたしは部屋の窓を開けて、向かいの入院病棟を眺めながら話に参加するのが習慣だった。

あるとき、病棟の廊下で談笑する三人の若者に注意するようになった。毎日おなじ時刻に、おなじ場所で落ち合っているところを見ると、別の部屋の入院患者で、なにかのきっかけで親しくなったのだろう、などと想像をめぐらせていたが、ある日、そのうちの一人が欠けた。その日からそこで談笑するのは二人だった。

退院したのだろうか、それとも……。

そう考えているうちに、わたしは、実験室に籠もって機器とデータばかり相手にしている毎日に、いいようのない虚しさを感じた。わたしも患者と接したい、生身(なまみ)の患者と向きあって、人の命をあずかる医者であることを実感したい。

そう思いはじめたころ、たまたま内科で助教授人事のあるのを知った。病理学にも詳しいということが条件だったので、応募して採用された」

この内科医は、良心と使命感を体現する正義の医師として設定されていた。素直な視聴者には、素直に納得される文脈だった。

だが、天邪鬼(あまのじゃく)なわたしは、割り切れなかった。生身の患者と向きあうことだけが医学者の生き甲斐(がい)なのか、と。うすぐらい実験室で試験管をふっているのが、そんなに虚しいことなのか、と。

人命をあずかる医者であることを実感したい、その思いは善(よ)しとしよう。だが、そのために、実験データを人間味のない数字の羅列だと感じたり、それと格闘する自分を虚しいと考えたりするのなら、医者であることを実感したいというその思いは、ただのわがままである。そしてそれが理由で病理学教室を出て行ったかれに、元同僚や後輩はこう言うであろう。おれたちのやっていることは医学ではないというのか、と。

「見える化」という奇妙な日本語が幅をきかせているが、この内科医の目には、臨床のみが見える化できる医学だと映ったのである。基礎医学では「見える化」は難しい。「見えないものは存在しないもの」という同調圧力がかれを悩ませたのだ。わたしは、こんな医学者は、現実にはいないと信じたい。だまされやすい作者が作った、まがいものの登場人物だと思いたい。

文学研究はそれ以上に「見える化」できない学問である。本書のこんな外題と副題と目次とこのまえがきが、素直な日本人の素直な興味を惹くのか、はなはだ心もとない。

わたしは人文基礎学の「見える化」を叫ぶのではない。見える化することによって見えなくなるものができる、見えないとみなされるものができる、それをわたしは危惧するのである。

放射能に色をつけたからといって、その恐怖から逃れられるものでもないだろう。文学研究が「見える化」されたからといって、それがひとを仕合せにするものでもないだろう。文学に限らず哲学も芸術も、「見えない世界」の養分を吸って、いまの、そしてこれからの姿があるのだろう。

第1部　むなしい学問なのか

虚学の論理

文学部の光景

大学の文学部に進学したてのころのことである。ある研究室の前で、わたしは、鮮烈な光景を見た。ドアが半開きで、たまたまそこからなかの様子を垣間見たのであるが、当時のわたしにとって、それは異様な光景であった。

教授が黒板を使いながら、何かの講義をしていた。教室で数十人の学生を相手にするようにしゃべっている。それが狭い研究室ではいささかの違和感を生み、その違和感がわたしの足をとめさせたのである。だが、わたしをそこに釘(くぎ)付けにしたのは、講義をする教授の声ではなく、その講義を聴いているのが、男子学生ひとりっきりであった、ということである。学生は教授を見上げながら熱心に耳をかたむけ、ときどきノートに鉛筆を走らせていた。

あとで上級生から聞いたところでは、
「それはインド哲学の研究室だろう。毎年、受講生が少ないので、教室を使わずに研究室でやっている。いやあ、聴きにくる学生がいるだけでもいい。去年なんか、受講生ゼロで、一年間、自然休講だった」

滅びるか、インド哲学

学問の府としての大学のあり方を考えるとき、また最高の教育機関たるべき大学を考えるとき、うすぐらい文学部の廊下で目撃したこの異様な光景を思い出さずにはおれない。そして、わたしの学問の原風景も、じつにこの光景のなかにある。

そのとき、インド哲学という学問の扉が、そこにいるひとりの学生のために開かれていた。その学生がのちに学問の道に入ったかどうかが問題なのではない。そのとき、まさにそのとき、研究室という狭い空間に、広大な知的世界が、知りたいと欲するかれひとりのために用意されていた、ということが大事なのである。教師は学問をかたることの至福に酔い、学生はその世界を独占することの至福を体験したであろう。

だが、いまの日本の多くの大学にとって、このような話は夢である。郷愁をさそう古きよき時代の出来事でしかない。年によって受講生のいないような授業は、やがて廃止の憂き目にあうだろう。手をこまぬいていれば、早晩、インド哲学という講座すら大学から消えるという運命が待っている。私立大学だけでなく、こんにち、国立大学でも、しかもその種の学問の蓄積がほかにくらべて豊富であるはずの旧帝国大学系の大学でも、そういった風潮がおしよせている。学問の自律的変革の結果というのではなく、社会がそれを必要としていないという理由でもって。

不変の社会的評価

学んだ知識が社会生活に直接役に立つ学問を、実学という。この伝でゆくなら、文学・哲学の研究などは、さしずめ「虚学」ということになる。

その虚学をもって身を立ててゆこうと選択するものは、みずからの環境がかなりなていどに整っていないと、たとえば身内や身近に虚学をもって身を成した人がいたりしないと、大変な忍耐を強いられる。惣じて周囲は無理解であるから、人はおれの生き方をわかってくれない、という思いにつねに悩まされる。それに抗(こう)し、なおかつ打ち勝ってゆくだけの覚悟が、「虚学」を志すものには求められる。

いつの時代にも、そうであった。わたしの学生時代、石油ショックがあって日本経済の高度成長がとまり、それまでもてはやされていた科学技術系の学部の評価が下がったことがある。価値観がひっくりかえったのであるが、だからといって、文学部への評価が変わったかというと、そんなことはなかった。上昇もしなければ下落もしなかった。科学技術の評価の下落が一時的だったのに、こと「虚学」に関する限り、社会の評価は不変であった。低いままで。

約束されない「虚学」の未来

ニーズのないものは消えてゆくというのが資本主義社会である。ニーズがなくても生きてゆける場合があるとすれば、それは社会にゆとりのあるときである。ゆとりがなくなれば、ニーズの度合いに応じて消えてゆく。

そして、それは、学問とて例外ではない。

昨今の大学改革は、存在じたいが虚学と見なされた教養課程を崩壊させた。そして、改革の触手は、虚学を多く抱える文学部に迫りつつある。嵐に吹きとばされる前に、はやばやと自己解体したところもないではない。

社会にゆとりのないいま、「虚学」は、虚学のままでは生きながらえられなくなってきた。そこで、一部の人たち（あるいは大部分の人たちかもしれない）は、「虚学」の実学化をはかっている。そのキーワードは「国際」「情報」「コンピュータ」等々である。この試みが生き残り作戦の小手先のテクニックでないことを、わたしは祈る。将来において豊かな実りをもたらすものであることを、実学に衣替えした「虚学」のために、せつに祈る。

右の試みは、しかし、虚学の一部が「虚学」から訣別するということであって、「虚学」は依然として「虚学」である。不要不急の学問であることに変わりはない。訣別の船に乗らない人も多くいるのだが、「虚学」の船の未来は、あいかわらず約束されてはいない。

学問は即効薬ではない

社会の要求は性急である。めまぐるしく変化する現代にあって、社会は、いますぐ役に立つものを要請する。学問にも、それを求める。即戦力になる学問を期待するのである。

だが、いささかなりとも学問の世界に足を踏み入れたことのある人なら、本当の学問・研究がそんな即効薬みたいなものでないことは十分知っている。即効薬をつくるには、まずその前に地道な基礎研究の時間がなければならず、だが、基礎研究そのものは、じつは現実社会でほとんど直接の役にはたたない。社会生活に直接役に立つかどうかは、だから、その学問が社会に貢献しているかどうかの指標にはならない。そもそも、学問や研究というものは、俗世間の営みとは縁が薄いものなのだ。ノーベル賞受賞者とその業績の知名度が受賞前後で天地のひらきのあることが、それを如実に物語っている。

基礎研究は、たしかに現実の社会に直接の役にはたたない。だが、間接的にかならず社会との接点がある。そしてそれは、目に見えて顕著ではない。せっかちな人間はそれを、「役に立たない」というのである。

学問には、その成果が見えるようになるまでに長い時間を要する分野がある。そのような長い時間がたつと、成果が見えるようになっても、社会と学問との接点はどうしても見えづらい。当の研究者でさえ、往々にしてその接点を捜しあぐねている。しかし、繰り返して言うが、学問は即効薬ではない。即効薬ではないが、それなくして即効薬はつくれない。

成果結果のあらわれるまでに長い時間を要し、社会との接点が理解されにくい学問、それが「虚学」であり、文学部はその「虚学」の巣窟である。

本当に虚しい学問か

日本の外国研究に例をとろう。

わが国における外国研究で、もっとも長い歴史をもち、かつ蓄積のもっとも豊富なものといえば、中国学である。研究ということばをできる限り広義に使うならば、中国研究は、わが国有史以来の伝統をもっている。

この長い研究史を、実学・虚学という視点からふりかえるなら、ごく初期の中国学（漢籍をとおして学ぶ仏教も含めて）は、実学に属していた。遣隋使（けんずいし）・遣唐使（けんとうし）に代表される留学生たちは、国家の輿望（よぼう）をになって海を渡った。人々はかれらに、国家有用の学を修めることを期待し、またかれらもそれによくこたえた。

　やがて九世紀末に遣唐使が廃止される。菅原道真が「もはや中国から学ぶものはない」と建白したことによって廃止されたという俗説があるが、それが本当だとしたら、そのころから、日本の中国学は「虚学」となったことになる。だからといって、中国学が衰えたかというと、そうではない。依然として中国学は最高の学問であり、為政者階級の修めるべき必須の教養であった。

　その中国学が江戸時代、実学として復活する。徳川幕府は、幕藩体制の思想的よりどころを儒学に求めた。日本の儒学は、本来の儒学にない武士道も論じ、儒教と相容れない国体さえ論じた。この時代、日本の中国学は、本場中国よりも自由討究の精神にみちあふれ、徳川二百五十年の思想的バックボーンとして十分すぎるほどの効用をもっていた。だが、幕末の諸情勢は中国学の実用性を否定、それにかわってヨーロッパの学問が、どっと日本に入ってきた。ここにふたたび中国学は「虚学」になった。

　しかしながら、すぐに中国学の実用性が見直される。関係者に切実に意識されたかどうかは不明ながら、日本の大陸進出が中国研究を必要としたのである。日清戦争前から日中戦争にかけておこなわれたわが国の中国研究の成果は、時代の置かれた状況での実利的側面から見る限り、歴史上もっとも大きかった。

　戦後、中国学はみたび「虚学」となった。そして、こんにち、中国学は風前のともしびである。学校教育での漢文学習は不要であると公言する識者がいる。千年以上も中国学を底辺でささえてきた漢文学習を、である。この国際化の時代にむしろ有害であるといって憚らない文化人もいて、少なからぬ同調者もいる。かれらの漢文不要の論拠は、社会のニーズがなく時代遅れのしろものだという類のことであるが、本気でそう思っているとしたならば、わたしは、かれらの国際人としてのレベルを疑う。

蓄積こそが学問である

中国学は、江戸時代と近代のある時期において国家的ニーズがあった。そして、それぞれの時代の中国学は、よくそのニーズにこたえることができた。なぜ、それが可能であったか。それは、中国学が「虚学」であった時代、つまり不要不急であった時代においても、素読というひろい裾野をもち、その上に学問的蓄積が営々となされていたからである。

中国学が「虚学」であった時代、せっかちな人間は、それを指して「役に立たない」と言ったはずだ。かれらにとって、「役に立たない」はすなわち「なくてもいい」「ないほうがいい」を意味する。だが、かれらの要求どおり、そこで中国学の蓄積を途絶えさせていれば、いざそれが必要とされるとき、真の実学として再生されることはなかったであろう。

そのことは、つぎのような例からでもはっきり言える。

中東で問題がおきたとき、日本（日本人）は、たいていの場合、国際的視野にたった発言・行動ができない。民族や宗教の問題が壁になっている、などというのはわかりきったことで、解答にも言い訳にもならない。その壁を乗り越えられるかどうかが、国際社会では求められるのである。だが、それには、その方面の学問的蓄積を待つしかない。

日本には中東に関する学問的蓄積がない。由来、日本にとって中東は遠い世界であったから、その研究の必要を感じなかった。そのことじたいは、われわれの歴史をふりかえって考えれば、仕方のないことであろう。

重要なのは過去のことではなく、未来である。これからさき、その地域のことを知り、そこに住む人たちを理解し、何がおこってもうろたえず適切に発言行動できるようになるためには、地道な基礎研究が必要なのである。きょうあすにでも成果を、などというのではなく、中国学がそうであったように、百年、千年のスパンで発想されなければならない。そして、それは「虚学」である期間（「役に立たない」と言われる期間）のほうが長いはずだ。

そういうとき、せっかちな人間の言うことを聞いてはいけないのだ。ものごとを細切（こまぎ）れにしか見られない人間の言うことを聞いて、その学問的蓄積を台無しにしてはいけないのである。

開かれた大学とは何か

こういった「虚学」を長い目で継続させうる機関を日本という国で捜すとすれば、それは、大学以外にない。

日本ではこんにち、若く優秀な人材は、例外なく大学へ行く。大学には、二十歳前後の日本人の優秀な層のほとんどが集まっているのである。しかも、常時。大学もひとつの社会であると考えたとき、これだけの人材を独占している社会が、ほかにあるだろうか。

これら優秀な才能は、その可能性において多彩である。多彩な可能性をいつでも満たせる、そういう環境が、だから、大学には求められる。大学が開かれるとは、多彩な才能をいつでも受け入れることができる状態をいうのである。インド哲学を学びたいという学生がいれば、それがたとえひとりであろうとも、インド哲学という学問の扉がそこに用意されていなければならない。間に合わせの借り物ではなく、そこで蓄積された自前の学問が、いつでもその可能性を秘めた学生を待っている。そして、その学生たちが蓄積の担い手となる。それこそが本当の開かれた大学であり、将来において（百年後、千年後に）真に「役に立つ」学問の府なのである。

そこでは、実学であるか虚学であるかの議論は意味をもたない。というより、大学における学問は百年、千年というスパンで考えられねばならない。すべての学問は、まずは「虚学」（不急の学）である、と言えるのである。

それから二十年以上を経て

以上は、かつて『学士会会報』八百十七号（一九九七年十月）に書いた文章である。したがって、文中にある大学の姿は、その当時の状況を描いている。まだ「国立大学法人」なることばもない時代である。

あれから二十年以上を経た。そして、思う。あのときの改革は成功したのだろうか。大学は再生されたのだろうか。教育と研究を活性化させたのだろうか。知が蓄積され、それが将来の日本に継承される、そんな明るいシステムになりえたのだろうか、と。

わたしは否定的にならざるをえない。虚学を切り捨てた大学で、教養教育云々の議論がなされ、またぞろ、むかしあった教養課程に似たものが復活している。切り捨てたものの大きさを、いまごろ気づいて、はたしてもとに戻れるのだろうか。学問の基礎とプリンシプルをなくした今出来の学部・学科・講座に、そのような力があるのだろうか。それらの教員や卒業生のあいだでは、大学や学部への帰属意識の喪失が急速にすすんでいる。帰属意識を希薄にさせる組織が、明るい未来を築きあげる環境でありうるのだろうか。

〔覚書〕『学士会会報』八百十七号（学士会、一九九七年十月）初出。本稿に対する大学人の反応は、次章に触れてある。

ノーベル賞と旧石器

だれも気づかない共通点

時は二十世紀もおしつまった西暦二〇〇〇年の後半、学問が世間を騒がすというふたつの事件がおきた。ひとつは白川英樹（しらかわひでき）氏のノーベル賞受賞であり、もうひとつは考古学遺物の捏造（ねつぞう）事件である。わたしは、このふたつの事件のあいだには、三つの共通点があると考えている。

一つめは、二件ともグローバルな話題を提供したこと。白川氏の業績は、二十一世紀の科学技術を地球規模でリードする研究であった。捏造事件は、世界史をも書き替えかねないものであった。げんにいくつかの教科書はめまぐるしく書き替わった。

共通点の二つめは、文系か理系かをとわず、いかに「基礎学」というものが重要であるかを問い直す契機になる出来事であったということ。

そして、共通点の三つめは、ともに「基礎学」の重要性を喚起する出来事であったにもかかわらず、また「基礎学」がなおざりにされていることに警鐘をならす出来事であったにもかかわらず、国やマスコミや国民は、そのことにまったく気づいていない、ピンときていないということ。

文系・理系を問わない問題

かつて、「虚学の論理」という文章を書いたことがある（前掲）。大学の人文基礎学がいまや絶滅寸前にある、人文基礎学の滅亡は民族の存立を危うくする、ということを、いささか大上段にかまえて論じたものであった。

この文章に対する反応はというと、わたしの周囲の文学部出身の研究者たちは、いたって冷ややかであった。それは、いまさらおまえが言わなくてもわかりきったこと、言うだけ虚しいという無言の信号であった。諦めの境地である。

ところが、意外なところから思わぬ反応があった。未知の理工系研究者数人から手紙をもらったのである。いずれも、よくぞ言いにくいことを言ってくれた、われわれ研究者の思いを代弁してくれた、といった趣旨のものであった。ここに、わたしは、理工系の世界でも基礎学軽視の風潮が蔓延（まんえん）していることを知った。いや、理工系イコール実学と見なされるのは、当事者にとっては心外であるのだ。そして、その無理解によって味わわされる思いは、われわれ文系基礎学にたずさわるものより、むしろ深刻である。基礎学はカネを産まない、カネを産まない学問にはカネは出さない。そういう論理で斬られるその痛みは、人文学の比ではないだろう。われわれはまだ、高楊枝をくわえて斜にかまえていられる、痩せ我慢できる。

白川氏のノーベル賞受賞に、白川氏周辺の専門家はもちろん、日本人はみんな喜んだ。国も学界もマスコミも国民も、挙げて喜んだのである。しかし、わたしには、その喜び方に、きわめて大きな温度差があったように思う。こう思うのは、わたしだけであろうか。もしわたしだけであるのなら、やはりここで一言しておきたい。

専門家の悲痛な声

白川氏受賞の知らせが日本に届いた当初、一般の国民は、白川英樹という人を知らなかった。だから、当然、その業績も知らなかった。もっとも、それは、福井・江崎・利根川氏などのときもおなじで、科学者の業績などというのは、それが世界的であればあるほど、俗世間とは縁がうすい、すなわち一般の人たちには知られないものなのである。

だが、マスメディアは違う。マスメディアには、地味な存在ではあるが、科学ジャーナリズムといって、科学技術の最尖端の最新情報を扱う分野がある。いまどういった研究がいちばんノーベル賞に近いかといったことにもっとも精通している。ところが、今回ばかりは、メディアも白川氏受賞は意外だったらしく、その研究についてもあまり情報がなかったらしい。

そこで急遽、情報を集めたのであるが、調べてみると、意外や意外、われわれの大変身近なところに、導電性ポリマーなるものが活躍していることがわかった。駅の券売機、携帯電話、ATM等々、われわれは白川氏なしでは日常生活を送れないということがわかった。そして、マスコミは、白川氏の研究がいかにわれわれの生活に直結しているかというコンセプトで報道を繰り返した。一般の日本人も同様に認識していた。

ところが、白川氏と同分野の研究者、またノーベル賞受賞の先輩である江崎・利根川氏といった人たちの反応は違っていた。かれらは、マスコミからコメントを求められ、心から今回の受賞を喜んだ。かれらが心から喜んだそのわけは、かれらがコメントの最後にきまって付け足したことばのなかにあらわれている。かれらは、例外なく、こう言ったのだ。

「これによって、基礎科学の重要性が認められることを期待します」

日本にとって前世紀最後の慶事である。その慶事に対する反応に温度差があるといったのは、まさにこのことである。つまり、マスコミや国民は、白川氏の受賞を華やかな実用の世界に結びつけたのに対して、専門家たちは、だからこそ基礎科学認識の契機になってほしいという熱い思いをこめて、この受賞をうけとめたのである。そして、専門家たちの口からこういうことばが出るということは、自然科学・科学技術の世界でも、基礎学がいまや危機に瀕しているということを意味しており、当事者がそれを言わざるをえないほど深刻だということである。

われわれ日本人は、この基礎学軽視の風潮に対するしっぺ返しを、最近、痛いほど経験した。東海村(とうかいむら)の臨界(りんかい)事故である。あの事故は、けっして、マニュアルが裏であったとか表であったとかの次元で起きたのではない。誤解をおそれずにいえば、裏マニュアルでやっても、あんな事故は起こらなかった。

あの忌まわしい事件は、基礎学軽視の風潮が行き着くべくして行き着いた事故であった。そしてというか、にもかかわらずというか、国もマスコミも、いまだにそれに気づいていない。国もマスコミも気がつかないから、国民も気がつかないでいる。専門家たちが悲痛な思いで叫ぶ「基礎科学の重要性」など、はなっから耳に入っていない。いや、耳に入っても、何のことだかわかっていないのである。

学者でない人間に学者の良心を責めてどうするんだ

あの旧石器捏造事件も同様である。

旧石器ブームはアマチュア学者のつくったものだった。その正体は捏造石器と判明したが、あの事件は、日本の考古学に幸運をもたらしたと言っても、不謹慎にはならないだろう。捏造事件とその発覚がなければ、地味な基礎研究に光があたらなかっただろうし、アカデミズムがみずから反省するきっかけを持たなかっただろう。日本人は冷静になれなかったであろう。

わたしは、あの捏造事件が、あんなにバッシングされなければならないほど悪いことなのか、と思われてならない。よってたかって悪者にすることはないではないか。日本人がさらす世界の恥、民族の裏切り者であるかのように吹聴することはないではないか。石器捏造で巨万の富をきずいたわけではない。多くの人をだましたが、それで金儲けしたというわけでもない。五十過ぎの男が、生活を維持できるかどうかの暮らししかしていなかったというではないか。

捏造が発覚したことによって、かれのこれまでの業績が学問的に疑惑の対象になった。かれは一生、まっとうな考古学の世界では生きてゆけない。今後、考古学上の発言・発見をしたとしても、胡散臭いものとしか見られない。これが、学問で過ちを犯したもののごく当然の報いであり、かれはその報いを十分すぎるくらい受けた、とわたしは思う。

じつは、この手の捏造事件など、古今東西、枚挙にいとまがない。だから許せと言うのではない。人間はそういうことを性懲りもなく繰り返す動物なのだ。それに、ふつうこういった分野で捏造事件をおこすのは、学問の世界の人間ではない。旧石器捏造者もズブのしろうとである。学者でない人間に学者の良心を責めても、仕方がない。そう思わないか。

石器捏造と基礎学軽視、どっちの罪が重い？

れっきとした研究者が実験データを捏造したというニュースをよく聞くが、これが許されないのは、くろうとがしろうとを騙すからである。一方、旧石器捏造事件はしろうとがくろうとを騙したという、なんとも可愛げのある事件であった。騙したほうが悪いのではない。騙された専門家が悪い、というのが気の毒なら、滑稽なのである。

そして、旧石器捏造も医学データ捏造も、こういった事件をチェックできるのが、基礎に根ざした良心的な学問である。目先の成果にまどわされない、地道で基礎的な研究の蓄積が機能していれば、いかがわしい学説はいかがわしいものとしてしか扱われない。

石器捏造事件に関していうなら、一部の研究者は、じつは旧石器発見を最初から疑っていた。学術論文として活字にもなって発表されていた。だが、懐疑的な議論は、ひろがらなかった。捏造発覚まで、学界規模でそれを取り上げようとする空気はなかった。無視された。だから、一般には、疑問視する声があることなど、知られていなかった。

ひとえに、基礎学は話題を産まないからである。もうすこし品のない言い方をすれば、基礎学はゼニにならないから、である。旧石器発見とぶちあげたほうが、慎重にという意見より派手で人目を惹くからである。子供だましにひとしいペテンに日本中がまるめこまれたことの原因は、基礎学軽視の風潮にある。この風潮がまかり通っているところでは、どんなに基礎学が頑張っていても、報われない。報われないものは衰退してゆく。いつのまにか消滅している。気がついたときは遅い。これは、きわめて不健全な事態といわねばならない。

もし今回の石器捏造事件が日本人の恥だというなら、基礎学軽視という環境が改まらない限り、日本人は世界に向かって恥をさらしつづけなければならない。捏造したことが恥なのではない。専門家ともあろうものが、しろうとにコロッとだまされた、それが恥なのである。事件発覚後、一部の専門家たちが偽計業務妨害でこのしろうと学者を告訴すると息巻いたそうだが、かれらにはプロのプライドというものがあるのだろうか。

このことこそが、事件の残した教訓なのである。

イギリスのある大学の考古学の実習で、学生たちが自分らで作った稚拙な土器を、前の晩に埋めておいた。翌日の授業でそれを「発掘」した教授は、世紀の発見と小躍りして学界に報告した。この教授は、学生の他愛もないいたずらにいっぱい食わされた頓馬な専門家として、イギリス考古学史にその名前を残してしまった。この教授が学生を告訴していれば、恥の上塗り以外のなにものでもあるまい。

雨後の筍が日本を救うか

ここ数年、日本の大学では、「新しい世紀にむけて」とか「国際化時代のために」といった、聞くだに軽佻浮薄な掛け声のもと、学問の再編がおこなわれている。その再編たるや、はっきりと、基礎学などは時代遅れ、と言っている。かれらのいう「新しい世紀」「国際化時代」とは、日本人が毎年ノーベル賞を受賞するような学術国家づくりだというのだが、当のノーベル賞が基礎学を対象とした賞であることを知らないのか。

雨後の筍のように出てきた今出来の学部や学科が、はたして日本人の知性を鍛えることができるか。いや、こういう問いかけじたいが、相手にされなくなってきた。知性を鍛えるなどという迂遠で目に見えないことは、もはや求められていない。きょうにでも役に立たなければいけないのである。あした形にあらわれるかどうかが問われているのである。そんな短絡幼稚な思考が日本中に蔓延して、学問の世界を毒している。学問みずからが毒されている。

今出来の学部・学科が自立的内発的に生まれたものとは思えない。人真似である。単なる流行である。ハヤリものはスタリもの、バブル崩壊よろしく廃れて、そのとき、あとに何が残るというのか。基礎学の基礎体力がまだ健在であれば、再生の道もあろう。だが、いまのようなままでは、そうなったときの基礎学は瀕死の重体か、とっくに死に絶えているか、であろう。

それから二十年

以上は、未発表草稿にすこしばかり手を入れたものである。執筆したのは、西暦二〇〇一年であり、書かれている社会情勢は二十世紀末のそれである。あれから二十年、話題にした事件は、いまとなってはいずれも風化している。どんどん風化していったものだから、発表の機会を逸してこんにちに至った。

一つめの風化は、日本人ノーベル賞受賞に対する国民の関心である。自然科学分野でいえば、白川氏の受賞は十三年ぶり、湯川氏からかぞえて五十年、日本人六人目であった。いまそれを考えれば、快挙と称していいだろう。だが、以後の二十年間に、白川氏自身を含めて十九名の受賞者を輩出したこんにち、国民は世紀末のごとき浮かれ方はしていないはずだ。それを風化というなら、これはいい風化、好ましい風化というべきだろう。

二つめの風化は石器捏造事件である。あのＳＴＡＰ細胞事件は、人間の生命にかかわる捏造であったこと、くわえて科学（学問）以外の不純な関心も手伝って、地味な考古学の不祥事をきれいさっぱり忘れさせるに十分だった。ただ、これをいい風化といっていいのか。

とんでもない事件は、その後に起きたそれ以上の同種のとんでもない事件によって忘れられる。二十年前の臨界事故は、本当はとんでもない事件だった。あのとき、東海村の全住民が東京目指して避難しているという噂が一部に流れた。だが、多くの人はそれをフェイクニュースだと感じ取っていたにちがいない。そのころ、この手のストーリーはＳＦ映画でしか見ることはなかった。あまりにも現実離れしていた。幸いにも現実ではなかった。

世紀かわって、日本人は、一村避難の流言どころではすまされない現実を目の当たりにした。フクシマの事件によって、われわれはトーカイ村の事件を忘れそうになる。いや、もう忘れている。「臨界事故」「裏マニュアル」という言葉さえ、「フクシマ」という言葉の前で消し飛んで、もはや歴史用語と化した。この三つめの風化がいいことなのか、いいことでないのか。

たしかなのは、日本人のノーベル賞受賞に驚かなくなったわりには、科学や学問の基礎部分に対する無理解は、一向に変わっていない、ということである。あの愚かな事業仕分けで「要らない」と名指しされたのは、基礎科学だった。

おっと、もうひとつ、白川氏受賞の画期的だった点を忘れるところだった。

それは、白川氏の出身校が京大・東大以外だったことである。以来、いわゆる地方国立大学出身のノーベル賞受賞者が出るようになった。ただし、この現象を日本の科学技術の底上げだなどと喜んではいられない。かれらの業績は、三十年前の研究成果が評価されたのであった。駅弁大学と揶揄されながらも、地方の大学もそんな体力を持っていた（ようやく持ち始めた）、よき時代の研究成果である。おなじような環境や体力が、法人化されて目先のことに汲々とするしかない、実学偏重に舵をきっている、昨今の地方国立大学に残されているとは、とても思えない。

〔覚書〕未発表原稿。稿中、STAP細胞を捏造事件のほうに分類した。だが、これはだまされやすい門外漢のわたしの、マスメディアからの受け売りであって、その道の世界で今どうなっているかは知らない。この分野ではおそらく、ないことの証明よりも、あることを証明したほうが建設的であろうから。

「勇気をもて。学者の良心を忘れたのか」

霧の撤収作戦

アリューシャン列島の日付変更線のあたりに、キスカという小さな島がある。かつて日本軍が占領した、もっともアメリカ本土に近い島である。

昭和十八年五月、西どなりのアッツ島の日本軍守備隊が玉砕して、海域は完全にアメリカに制圧され、キスカは孤立してしまった。帝国海軍は、その威信にかけて、キスカにいる日本軍を撤収させる作戦にとりかかった。

太平洋戦争の撤収作戦というと、あのガダルカナル島撤収が有名であるが、ガダルカナルでは多大の犠牲者をだした。それにくらべて、キスカ島においては、犬数頭を残して、約五百名の将兵と英霊（えいれい）の遺骨すべてを、無事にごっそり連れ帰ることに成功した。

蟻一匹入る余地のないアメリカ軍の包囲網のなかを、おりからの濃霧にまぎれて敢行した大胆な作戦である。霧の撤収作戦として知られる、帝国海軍最後の快挙であり奇跡であった。

「学者の言うことを信じよう」

この史実が日本人のあいだに知れわたったのは、昭和四十年前後ではないかと思う。かつて東宝では、毎年終戦記念日にあわせて戦争実録映画を製作していたが、その前身ともいうべき作品「キスカ」（丸山誠治監督）がこの年に封切りされ、ヒットした。

映画封切り当時、わたしは高校生で、日本史・世界史の勉強を口実にさかんに映画を観ていた。「キスカ」もそのうちのひとつである。先日、近くのレンタルビデオ屋でこの映画を見つけ、懐かしくなって借りてきた。

もはや記憶にない挿話もおおかった。記憶から排除されていた挿話のひとつに、作戦司令官と気象班長との絡みがある。

帝国海軍第五艦隊の巡洋艦・駆逐艦十三隻が守備隊救出のためキスカ島に向かうのであるが、すべては霧がたよりの作戦であった。霧のなかをアメリカ軍に気づかれないように行く。無線も、傍受されてはいけないので使えない。とにかく霧がでてくれないことには、作戦を遂行できない。ということで、映画には若い気象班長（少尉）がでてくる。この班長は新進気鋭の気象学者である。
作戦は二日や三日の霧では決行できない。せめて五日間の霧が確実視できなければ動けない。そしてはやくも、むこう一週間の霧が期待できそうだという気象班長の報告がくる。決断をせまられた司令官は、「学者の言うことを信じよう」といって、艦隊をうごかした。作戦本部（北千島幌筵）を出発してキスカに向かう。ところが、途中で霧が晴れてしまう。ここまで来たからには強行突破しかないという艦長たちの意見を抑えて、司令官は艦隊を作戦本部にひきかえす。本部で霧のでるのを待つ。

ところが、五日間の霧はなかなか発生するけはいがなかった。で、救出作戦のために待機している将兵たちが苛立ってくる。

武人の激励

ある日、司令官のところに報告に行く気象班長を、数人の若手将校がとり囲んだ。かれらは、この気象班長に、こう強要する。

「司令官には、五日間の霧が発生すると言え」

気象班長は答える。

「この状態ではせいぜい三日間です」

「勇気をもて。学者の良心を忘れたのか」

「そこを五日間というのだ。頼みの五分は霧、あとの五分は軍人精神でやるのだ」

ひとりの将校が、ためらっている気象班長の胸倉をつかんで脅す。

「きさま、何のために軍服を着ているんだ。学者のわがままもいいかげんにしろ」

司令官の前に来て、気象班長は、

「五日間の霧が発生しそうです」

と口にしてしまう。

「たしかか」

念をおす司令官に、気象班長は自信なげに、

「はい」

とこたえる。

「よし。あとはわれわれにまかせろ」

そう言って司令官は考えこむ。

この沈黙に、気象班長は不安にかられる。おどおどしている班長を不審におもった司令官は訊いた。

「どうしたのだ」

気象班長はたまりかねて、

「司令官、この霧は三日ともちません」

と正直に言った。怪訝（けげん）な表情でちかづく司令官に、

「すみません」

と言って下をむく。すると、司令官はやさしくほほえみながら、この気象学者の一の腕をたたいて、言った。

「勇気をもて。学者の良心を忘れたのか」

若い班長は、ハッとして司令官の顔を見る。

この司令官役は、あの三船敏郎（みふねとしろう）である。あの顔で、あの声で、海軍少将の軍服を着て、「勇気をもて。学者の良心を忘れたのか」といって、若い学者を力強く励ました。そして、ふたたび辛抱づよく、霧のでるのを待つのである。

「学者の良心を忘れたのか」

この映画の主役は「霧」である。だから、司令官室での二人のやりとりは、映画の山場であったはずだ。それがすっかりわたしの記憶から消えていたのは、霧のなかをすすむ艦隊の特殊撮影のみごとさにみとれ、アメリカ軍に見つかりはしないかというハラハラドキドキに気をとられて、右のような人間ドラマを読むだけのゆとりがなかったからであろう。いや、ゆとりというよりも、修練というか経験というか、そういったものをまだ高校生であったわたしは、もちあわせていな

かった。

戦争映画のなかで、絵にかいたような武人肌の三船敏郎が「学者の良心を忘れたのか」と当の学者に向かっていう台詞(せりふ)は、考えてみれば、いささか場違いである。その場違いさによって印象に残りやすい。明らかにシナリオの意図が見える。だが、当時のわたしはそれを読むことができなかった。読めなかったのは修練が足りなかったからである。「学者の良心」と聞かされて、高校生にピンとこいというのは、無理な注文だろう。

これがわかるためには、人生経験を必要とする。沈着冷静なこの職業軍人は、学者のなんたるかを、高校生のわたしよりはもちろん、劇中の若い学者よりも知っていたのである。そして、学者が「学者の良心」を忘れたとき国は滅びるのだ、ということを、前途ある若き学徒に教えたのである。「勇気をもて」と。

〔覚書〕『国立教育会館通信』四百二十四号（国立教育会館、二〇〇〇年七月）初出。

共和国は学者を必要としていない

レーニンを永久保存した男

ソ連に、ボリス・ズバルスキーという生化学者がいた。その道でどのていど評価されている研究者なのかを、わたしは知らない。だが、モスクワ第一医科大学の生化学教授をつとめ、レーニン賞も受けたというから、ソ連国内では、功なり名をとげた科学者であったらしい。ソ連国内では、と括弧つきでいうのは、もちろん、ルイセンコなど多くの例があるからである。

このボリス・ズバルスキーには、それでも、全世界を瞠目させた業績がある。かれは、長くレーニン廟附属研究所の責任者でもあった。モスクワ第一医科大学教授より、この附属研究所所長という肩書と職務によって、かれはソ連で名声をえていた。レーニン廟附属研究所とは、その名のとおり、レーニンの遺体の永久保存のために、そのためだけに設立された研究施設である。潤沢な国家予算がつき、研究所が必要とするものは何ものにも優先される。

ズバルスキーは、レーニンが死んだときから、遺体永久保存のプロジェクトの中心にあった。失敗したらただではすまない社会体制で、革命政府から打診された科学者はみんな尻込みした。だが、ズバルスキーは、自分の考える保存方法の有効性を積極的に政府当局に売りこみ、そして遺体保存にみごとに成功した。スターリンをはじめとする党幹部から信頼をえたのはいうまでもない。この技術は、共産圏相手の外貨獲得にも貢献したという。

ロシア革命の場合

ボリスの息子イリヤ・ズバルスキーも、おなじ生化学を専攻し、父とともにレーニン廟に勤務した時期があった。

イリヤがモスクワ大学に入学したのは、一九三一年である。そのころ、大学では、「社会主義建設の新しい課題に対応する」という掛け声のもと、大がかりな改革がおこなわれていた。この改革は、専門的高等教育機関網の拡充をはかるというのが大義名分であったが、実態は、大学の専門学校化であった。学部の多くが大学から離され、単独の高等専門学校を組織した。そして、大学は、自己の経験や人材・施設のあらゆるものを、これらの教育機関の強化のために提供することを義務づけられた。そのため、大学は、自立した研究・教育機関としての機能をもてなくなった。ばかりでなく、制度としても、それが不可能になった。一九二九年十二月、教育人民委員部主宰の会議は、理論物理学や純正数学のような純粋科学をカリキュラムから削除することを決定、大学の自然科学系学部を技師養成機関と位置づけたのである。

さすがに、ソ連時代の正史（モスクワ大学出版局『モスクワ大学史』）も、これは行き過ぎと認めてはいる。それでも改革の根本においては成果をあげたと虚勢をはる。だが、そのときモスクワ大学の学生であったイリヤ・ズバルスキーは、当時の大学の学問の惨状をつたえている。

そもそも、かれは、普通なら大学に入ることができなかった。父が科学者だからである。つまり知識階級に属するわけで、それだけでブルジョアと見なされるのである。革命政府は、労働者と農民の子弟のみが高等教育を受けるにふさわしいとした。かれが大学に入れたのは、父が普通の科学者ではなく、レーニンの遺体保存に成功した功労者だからであった。

基礎科学を学びたかったイリヤは化学学部を志望したが、その年、化学学部は廃止され、技術者養成のための高等専門学校に改編された。それで生物学専攻を希望したが、これも廃止されていた。ならば動物学科を、と考えたが、そのような基礎学は社会主義国家建設には必要ないとして、動物学は「狩猟学」に、昆虫学は「寄生虫駆除学」に、魚類学は「水産学」に衣替えしていた。唯一残っていた「物理および化学生物学科」に入ったが、これも、かれが軍事教練からかえってきたときには、消滅していた。

イリヤは大学当局に、「わたしは化学の知識を深めたいだけだ」と訴えた。それに対する答えは、たった一言、「祖国は化学者を必要としていない」であった。そのとき、かれは、フランス革命で処刑されたラボアジエの故事を思い出したという。

フランス革命の場合

裁判官は、眉ひとつうごかさずに言った。

「共和国は学者を必要としていない」

ときは、一七九四年五月八日。フランスはパリの革命裁判所でのひとこまである。被告は、あの有名な化学者ラボアジエであった。王制時代に徴税請負人(うけおいにん)であったことを問われて、死刑を求刑された。

弁護人たちは、ラボアジエの業績をかぞえあげ、「ラボアジエは偉大な学者だ」と言った。だが、裁判官はつめたく答えたのである、「共和国は学者を必要としていない。さあ裁判をつづけよう」と。その一言で、近代化学の基礎を築いたこの大天才は、断頭台の露と消えたのであった。

文化大革命の場合

国文学研究資料館でおこなわれる国際日本文学集会を聴講したことがある。

この集会は、毎年一回、外国の日本文学研究者が集まって研究発表をする。わたしが期待して聴いたのは、中国本土の某大学の研究者の発表であった。正確な演題は忘れたが、江戸時代の小説と中国小説とを比較文学的に考察するという内容だった。この手の研究は、漢文・中国語の熟達した知識を必要とするため、日本人国文学者では限られている。何か新しい発見なり視点なりが期待できそうであった。

だが、発表が始まって五分もしないうちに、失望した。戦前の石崎又造の著作をなぞるだけであった。これなら、肝腎の中国小説そのものを読まなくてもできる。発表は、外国人が日本人学者の業績をかみくだいて日本人研究者に紹介しただけ、で終わった。

わたしは、隣にいた資料館のスタッフに、「こんなので、いいんですか」と言ってみた。すると、かれは溜め息をついて言った。

「文革のせいですよ。あれ以来、むこうの研究水準はひどいもんです」

そして、皮肉っぽく付け足した。

「これでも持ち直したんじゃないですか、日本語の文献が読めるんだから」

文化大革命の時代、中国大陸で口にされた「文化」が何を意味していたのか、わたしにはわからない。なにしろ、知識とか伝統は罪悪であるかのようにいわれた。知的労働・知的生産にたずさわるものは、資本主義帝国主義プチブルと罵倒された。大学生に課せられる「学習」は、下放という名の強制労働であった。

そして、人民のレベルでは知識人イジメが蔓延（まんえん）した。映画「芙蓉鎮（ふようちん）」の主人公、秦書田（チンシユーチエン）という青年は、町でいちばんの知識人であるが、革命スローガンの文字を書くときだけ便利に使われて、あとはみずからを「札（ふだ）つき右派」「五類分子」「ボンクラ秦」と称して卑屈になっていないと生きていけない。それが、受難の時代の知識人のすがたであった。

そして、日本の大学改革の場合

わたしは、昨今の日本の大学が一九三〇年前後のモスクワ大学のような気がしてならない。基礎科学を無用の長物（ちょうぶつ）ときめつけ、動物学を狩猟学に、昆虫学を寄生虫駆除学に、魚類学を水産学に衣替えして、必死に党の機嫌をとろうとした、あの愚（おろ）かだった社会主義国家とダブって見える。国立大学独立行政法人化で各大学が絞り出している生き残り策を見ていると、文系理系をとわず、日本の基礎学に未来はない。

そして、全国の大学では、文化大革命のときのような狂気じみた教員イジメが起こっている。

〔覚書〕初出は『本居宣長「うひ山ぶみ」全読解』（右文書院、二〇〇三年十一月）の附録。ロシア革命の話は、『レーニンをミイラにした男』（イリヤ・ズバルスキー、サミュエル・ハッチンソン著、赤根洋子訳、文春文庫、二〇〇〇年）によった。稿中の参考文献『モスクワ大学史』は、いまその書誌を突き止められないが、文部科学省の図書室にあった本である（もちろん邦訳）。

人文学のプリンシプルを忘れるな

研究者は強迫観念を持て

あちこちの媒体に発表した論文があるていど溜(た)まると、それらをまとめて論文集として出版する。論文集が出せてはじめて一人前の研究者と認められる。これが、こんにち、われわれ人文学系研究者がおかれている環境だといっていい。縦にして押しても倒れない厚さの論文集にするためには、どんなに少なくても二十本以上の論文を必要とする。

論文集を出すということは、それまでこつこつと論文を書き溜めていたこと、すなわち研究者をやめなかったことの証(あかし)である。わたしの世代以下であれば、四十歳の時点ですでに処女論文集を出しているか、すくなくともその準備ができているかしなければならない。いまはそうでなければ許されない時代になった。今後はもっと低年齢化する。

お節介といわれるかもしれないが、自分を平凡な研究者と自覚する若者は、上記の事実を強迫観念として持ちつづけていたほうがいいと思う。知らない研究者の論文集の奥付を見て、自分より若かったら、焦ったほうがいい。そうしないと、研究生活のモチベーションが保てないからである。いちどこのモチベーションをなくすと、論文を書くこと、それを同業者（研究者）の目にさらすことに臆病になって、悪くすると怖くなってしまう。そこから立ち直れないまま、十年二十年はあっというまに過ぎてしまう。失われたこの時間は、けっして取り戻せない。

論文集出版の意味

ここでいう論文集は、純粋な学術書の場合である。学術書専門の出版社は、編集費・印刷費・紙代・製本代などの実費と売り上げを勘案して、価格と部数を設定する。だが、これだけでは、じつは出版社は倒産する。購買範囲が極端にせまく限られているので、学術書の適正価格（大学図書館や研究者がなんとか購入できる値段）では、たとえ全部売れたとしても、赤字になる。売れ足の遅いのがこの手の書籍だから、運転資金さえ回収できない。それを保障するのが著者である。どういうことかといえば、赤字分を著者が穴埋めするのである。マイナスの印税と考えたらいい。わたしの場合（最初の論文集）、たしか百二十万だった。おそらくこれは、学術書の著者負担としては少ない部類であろう。国や財団・企業がおこなう出版助成活動は、それへの支援である。

学術書でも、増刷されれば、プラスの印税が発生することもある。再刷以降の実費の大半が紙代と製本代ですむからである。もっとも、「あくまでも場合によっては」という括弧付きの話で、現実には、そういうことは、まずありえない。初刷の部数を売り切ってしまうことさえ困難で、無事品切れにこぎつけても、増刷はしない。なぜなら、潜在的な購買者は底をついたと判断するからである。研究者が世代交代して、再版の要求がおこり、採算がとれると判断される論文集もないことはない。だが、それは名著といわれるものであって、しかも、どんな名著でも、そうなるまでに三十年は要する。並みの論文集であるなら、三十年もたてば、図書館や研究室にむかし購入した一冊があれば十分、あえて再版を望む声はおこらない。

印税がどうのこうのというのは、売れて出版社をうるおす本の話である。

わたしがちくま新書で本を出したとき、数百万の印税がわたしの懐に入ったと勘繰った同僚がいた。勤めをやめても左うちわで暮らせると羨んだのか。そのときわたしは戯れに、勤めをやめて著述だけで（つまり印税で）いまの生活レベルを維持するとしたら、と試算した。答えは、毎月一冊、新書本を出しつづけても追いつかない、であった。これは流行作家でも無理である。流行作家は売れるから、映画やテレビの原作になるから生活できるのだ。わたしの書く本など、そのちくま新書がおそるおそる増刷したのが唯一の例で、それも、そのあとすぐ、売れないと見限られてはやばやと絶版になった。

話が脇道にそれそうなので、いそいでもとに戻る。

われわれ人文学系の分野では、論文集の出版には、それまで分散して断片でしかおおやけにしていなかった業績を体系立てるという重要な意味がある。単発の論文では理解されなかったものが、体系のなかで正当に位置づけされることも多い。学会誌・紀要掲載のままでは注目されなかった論文が、論文集によって認められるということもしばしばある。わずか五百部前後しか出さない、それさえ品切れにならない国文関係の論文集でも、雑誌媒体より十倍以上の宣伝効果があることをわたしは体験した。

平成元年に、わたしは平凡社の東洋文庫から、井沢蟠龍（いざわばんりょう）という江戸時代古学者の随筆『広益俗説弁（こうえきぞくせつべん）』を翻刻出版した。東洋文庫は大学図書館や研究室といった固定した購買者をもっているから、刊行直後の売れ行きは順調である。だが、東洋文庫じたいが地味な叢書（そうしょ）であるし、それに輪をかけてわたしの扱った作者・作品の知名度が低かったから、以後はガタンと売れなくなる。毎年夏ごろ版元から一年間の売り上げの報告をうけるのだが、十部も出ればオンの字で、やがて売り上げゼロの年がつづくようになった。ところが、ある年とつぜん百部売れたと言ってきた。ブームになったわけでもないのにと思って、よくよく考えてみると、それは論文集の効果であった。それまであちこちの雑誌に蟠龍や「俗説弁」に関する文章を書いていたのだが、それではほとんど注意をひかず、それらを論文集の一章としてまとめたことによってはじめて、このマイナーな作家と作品が認知されたのであった。その年かぎりだったが。

新書本では業績にならないか

研究者のものする著作としては、学術書以外に、一般書の執筆がある。ここでいう一般書の代表は、岩波や中公・講談社・筑摩といった大手出版社の新書と呼ばれる出版物である。さらには○○選書と銘打ったシリーズ物、四六判の定価二千円代までの単行本、なども一般書に含まれる。これらは出版社が売れると踏んで出すものであるから、当然、印税が期待できる。

ところで、大学では教員採用や昇格人事のさい、教授会で業績審査なるものがある。そのとき よく、この一般書の扱いが問題になる。これを研究業績と見なすかどうかで、議論が分かれる。惣じて理系の教員は、それを業績と認めない。一般書を書くような研究者は、すでにその分野の第一線から退いたと見なされる。最前線にいる研究者には、呑気(のんき)に本を書いている暇はない、著作なんて隠居老人の小遣いかせぎ。すべての理系分野がそうだとは思えないが、五年を経た学術雑誌は廃棄、と平気で言えるような研究分野では、それはたしかにあたっていよう。

だが、どうにも救いようのないのは、理系のほうが業績評価のシステムがきちんとしているという幻想をもつ人文系の教員である。かれらは、だから、文学部の業績審査でも、「新書本では業績にならない」と言って、読みもせずに同僚の著作物にケチをつける。一般書のおおい教員は、同僚の妬(ねた)みも手伝って、教授昇進が遅いこともしばしばある(ことも耳にする)。

人文系においては、いわゆる学術書と一般書とのあいだにある学問的価値の優劣は、じつは曖味であると考えたほうがいい。学問というに堪えない学術書が多いというのではない。研究者の書く一般書には学問的批判に堪えうるものが多い、という意味である。とくに最近は、研究者が象牙の塔にこもっていることが許されなくなった。そこでは、学問的批判にも堪える社会的発言が求められている。そういった要求にこたえようとする一般書が、すくなくとも国語国文学や日本史では、ひとむかし前よりも増えたと、わたしには感じられる。

グロータース神父の挑発

もう四十年近く前になろうか、これはほんとに偶然であるが、国語学会（現、日本語学会）主催の公開講演会で、グロータース神父の講演を聴いたことがある。聴衆には、学界の重鎮をはじめ、研究者だけでなく大学生や一般の人たちもおおかった。

神父は在日数十年の著名なベルギー人言語学者で、その日の講演内容は「日本語は特殊な言語ではない」というものであった。国語学者が日本語の特殊性・特異性として論じてきたさまざまの現象を、ひとつひとつ他の言語を例にだして、それらがけっして日本語だけにしかない特異なものではないということを、流暢な日本語でわかりやすく語ったものだった。

神父の話は、わたしにとってはまさに、目からうろこであった。ただ、そのときわたしが漠然と思っていたのは、目からうろこが落ちたのは、わたしなど国語学の門外漢の聴衆であるのだろう、ということである。きっと神父は、きょうしゃべる内容をこれまでたびたび学術論文に書いていて、それをかみくだいてわたしたち一般聴衆に話した。だから、その場にいた国語学の専門家にとっては周知のこと、目の前の重鎮の学説を批判しながらだから異論はあっても、それは先刻承知、織り込みずみで、グロータース師に講演を依頼したのだろう、と。

　おそらくこれは、だれもが考えつく、ごく自然な発想であろう。専門家の講演を聴く一般聴衆の期待するのは、せいぜいそのあたりであるし、講演者もそれにあわせるのが普通である。

　ところが、かなりあとになって知ったことであるが、この日の神父の講演は、日本語研究史上の画期的な事件であったという。目からうろこを洗い落とされたのは、わたしだけではなかった。会場の最前列にいた金田一春彦（きんだいちはるひこ）や築島裕（つきしまひろし）といった権威までが、そのとき初めて、日本語は世界の言語の孤児ではないという、すぐれて学問的な新説を突きつけられた。

人文学の戦略

　なぜこんな思い出ばなしを、ここに出してきたのか。それは、人文学の世界では、こういったことは、じつはよくあることなのだと言いたいためである。最新の研究成果を最初に公開するのに、人文系の研究者は、かならずしも自分とおなじ世界に住む専門家を選ぶわけではない。戦略的に、一般の聴衆や読者から切り崩すこともする。頭の切れる研究者なら、むしろそちらを選ぶ。

その頭の切れる研究者のひとりに野口武彦がいる。

野口武彦といえば、わたしの学生のころは、現代文学を論じる売れっ子の評論家であった。したがって、かれがある年齢に達してから、荻生徂徠など近世儒者の思想や文学に関する著作をたてつづけに出すようになると、多くの読者たちはとまどいをしめした。だが、野口はもともと近世文学専攻で、その研究テーマも儒学や漢詩文といった地味なものであった。かれの処女論文は、その題を「近世朱子学における文学の概念」という。

野口は、学者人生を始めるにあたって、戦略をたてたのだ。かれのごく初期の著作に、江戸文人の漢詩を扱った『江戸文学の詩と真実』（中央公論社、一九七一年）がある。それを出したあと、かれは近世文学から距離をおいて、本格的に近代・現代文学の評論活動に入った。谷崎潤一郎や石川淳・三島由紀夫・大江健三郎などを切れ味するどく論じて、時代の寵児となった。評論家としての名がジャーナリズムで不動のものになると、かれは徐々に軸足を移動して、近世儒学や漢詩文・思想史を論じるようになり、近世文学の世界に帰ってきた。そのときはじめて、若いころの野口を知っている同世代の近世文学研究者たちは、かれがあの地味な初期の著作を置き忘れていたのではないということを知った。

ソシュールという有名な言語学者がいる。かれに野口のような戦略があったとは思えないが、かれが二十世紀の革命的な言語学説をかたった相手は、生涯、ジュネーブ大学の学生だった。同時代の言語学の専門家たちは、ソシュールの没後に弟子たちの手で出版された講義録によってはじめて、かれの学説を知った。

これが人文学という学問の世界である。理系の最前線にいる研究者が一般書を書いている暇がないのと同様に、人文系の最前線には、学術論文を書いている暇のない研究者もいるのである。読みもしないで「新書本では業績にならない」という理系コンプレックスの人文系教員は、自分の属する分野の「業績」の何たるかを知らない半可通というしかない。

人文学には人文学のフォーマットがあるはず

大学教員の研究業績に関して、事業計画やら第三者評価やら自己点検やら社会貢献やら説明責任やら、といったことが求められている。これらを、国立大学法人化をはじめとする昨今の大学改革が生んだ産物、と勘違いしている大学人はおおい。

そういったことが、むかしの大学教員には求められなかったのか。いやいや、そんなことはない。むかしも、それらは大学人の使命であったはずだ。ただ、いまがむかしと違うのは、それを目に見える形にしろ、それをペーパーにして示せ、と言われていることである。わたしはそれを、学問のためには大変結構なことだと思う。

わたしが力(りき)んでこんなことを言うのにはわけがある。それは、その結構なことを実現させるために配られる各種のフォーマットが、理系の発想でしか作られていないのではないか、もっといえば実験系専用の答案用紙なのではないか、と思うからである。まあ、それはいい。が、どうにも解せないのは、理系コンプレックスの人文系教員の多くが、与えられたフォーマットにあわせるために、知ってか知らずか、人文学の固有性（プリンシプル）を枉げて解答していることである。「新書本では業績にならない」と言うのとおなじ発想で。

予算削減の既定路線のなかでいかに生き延びるかが迫られ、搾り出してくる作戦が、大学一丸となって、学部一丸となっての全員参加型のプロジェクトである。そうでないと独自性を主張できないとでも思っているのか。しかし、せまい世界の専門家の知恵など似たり寄ったり、グローバルとは金太郎飴の同義語かと思わせるようなものばかり、というのが率直な感想。これなら、一匹狼でせっせと研究・著述活動しているほうが、よっぽど効率的で生産的であろう。

そういう一匹狼型教員が教授会に過半数もいれば、それこそが独自性で、ずいぶん魅力的なカラーがアピールできる、ほうっておいても大学は活性化する、世間も注目する、受験生も増える、と思うのだが、いかがであろう。

……とまあ、これは人文学系のお話として語っているのだが、理系コンプレックスの憧れの的である理系の教員は、どう思われるだろうか。

〔覚書〕『西日本国語国文学会報』二〇〇九年度（西日本国語国文学会、二〇〇九年八月）初出。

大学図書館は本を貸し出すな

図書館は貸本屋ではない

家の近くの市民図書館などに行くと、予約待ちの図書という掲示がよくある。現在だれかが借りていて、利用できない本である。館内でだれかが見ていて、終わるのを待っている、のではない。だれかが家に持って帰って読んでいるのである。貸出期間は、ふつう一週間か二週間。予約待ちの多い本は、図書館が複数部揃(そろ)えている。それでも、予約待ちの行列はつづく。

その掲示板を見ながら、わたしは思う。この人たちはなぜ買って読まないのか、と。図書館で行列させる本は、いま現在、書店のいちばん目立つところに平積(ひらづ)みになっている。値段はリーズナブルである。

そう思いながら、わたしは電子検索画面の前に立って、著者名の欄に自分の名前をうちこみ、ひそかに検索してみる。数件ヒットして、すこし仕合せな気分を味わうが、そのあとすぐ、つぎのような思いにとらわれる。わたしの著作は何人の潜在的な購買者を失っただろうか、と。かりに十人に貸し出しされたとしたら、わたしは十部分の印税収入をフイにしたことになるのでは。

わたしは売文を業としない身だから、まだいい。だが、予約待ちをさせるこの著者は、そういうわけにはいかないだろう。これは知的財産権、生活権の侵害ではないのか。

市民から要望があれば、ベストセラーであっても買い揃える。いや、市民の声にこたえて、いま話題の本に高い優先順位をつける、それが市民図書館の使命だと錯覚している。

しかり、錯覚である。公共の図書館の発想ではない。貸本屋の発想である。貸本屋は、それでも、料金をとっているから許せる。著者に実入(みい)りのない、おなじ生活権の侵害であっても、ただで読まれるよりは納得する。

読書は、知識や教養や感性を獲得するための手段である。だから、それに身銭(みぜに)をきらないというのは、いささか虫のいい話に思えてならない。読書が趣味だ娯楽だというなら、なおさらである。自己啓発本、実用書、ハウツー物ならなおさらである。

そういった市民意識を覚醒させるのが、公共図書館の使命ではないのか。

「千円札でお釣りのくるような本は、自分で買え」と。

おなじ著作物なのに、なぜ図書館には、カラオケ店のようなシステムがないのか。そういうシステムが必要、という発想が生まれないのか。

貸出件数という亡霊

国がおこなう大学評価基準のなかに、附属図書館の利用状況の項目がある。学生が図書館をいかに有効に活用しているか、それを数値化して全国の国立大学法人をランク付けする。

もっとも、利用状況を数値化するといっても、できることといえば、入館者数を機械でチェックすることぐらいであるが、これでは、学生が大学の蔵書を利用しているかどうかの、目に見える指標としては覚束(おぼつか)ない。司法試験などのための自習室がわり、授業のあいまの息抜きや最適の昼寝場所として活用している学生が、結構多いからである。

図書館の蔵書がどのくらい利用されているかということのわかる、もっとも確実な数値は、図書の貸出件数（あるいは冊数）である。国もこれをもって、図書館の有効利用度の客観的な判断材料にする。

評価の低い大学、すなわち年間の貸出件数の少ない大学は、当然、その改善に努力する。努力といっても、数値を上げるための努力である。教員をとおして、学生に図書館の本の借り出しを勧める。本を借りるような、借り出さなければならないような授業を教員に強要する。「図書館に入れてほしい本」とかなんとかのアンケートをとって、学生に人気のある本を揃えようとする。

その結果、どうなるか。

教養書が幅をきかせるようになる。岩波新書や中公新書の揃っていない大学図書館は、大学図書館の名にあたいしない、という錯覚がおこる。断っておく、これは錯覚である。

そもそも新書本は、学生が身銭をきって買うべき本である。知識を求める若者に、身銭をきらせるに最適のものとして作られる。発刊趣意文にも、各社そう謳（うた）ってある。けっして、図書館で借りて読めなどとは言っていない。誤解をおそれずに言えば、図書館に置いてはいけない本なのである。まして大学図書館には。わたしの著作たちもその部類に属する。

万事、文科省の顔色をうかがって、数値を上げて事足れりとする。数値を上げることに血眼（ちまなこ）になる。なりふりかまわず、である。

なりふりかまわずといえば、こんなことまでまかり通るようになる。学生支援経費と称して、学生ひとりあたりン千円を予算化して、図書館に大型書店ツアーを企画させる。学生を大挙、ジュンク堂に連れて行って、自由に本を買わせる。大学の予算で購入するのだから、当然、図書館に開架されるのだが、中身の大半は小説・就職関係・ハウツー物・ガイドブックの類である。図書館もそれを善しとする、どころか、それを推奨する。図書館ニュースのトップ記事で「こんないいこと、やってます」と自讃（じさん）する。学生のニーズにこたえるというもっともらしい言い分、貸し出し回転率を高めるための稚拙きわまりない戦術である。もっともらしい言い分、稚拙な戦術なのに、だれもそれに違和感をおぼえない、異を唱えない。

これは大学図書館の自殺行為である。大学にとって最重要な問題を見えなくさせ、「大学図書館よ、いかにあるべきか」という主体性ある問題意識を封殺させる。

貸出件数の多寡をもって評価されることに不満を鳴らす教員は、多い。いわく、選べるほどの蔵書量といえるのか、借りようと思わせるほどのクオリティーのある蔵書なのか。いわく、書物というアナログ媒体だけの統計は時代遅れ、等々。

それらの不満はわかる。だが、「大学図書館とは何か」という大命題の前では、まだまだ本質的な不満ではないと、わたしには思われてならない。

大学図書館はいかにあるべきか、大学図書館の果たすべき機能とは何か、といった議論において、わたしは、この「貸出件数云々」をもちだすことに、またそれに真面目に反応することに、すこぶる違和感をおぼえずにはおれないのである。

そもそも、大学図書館は、本を貸し出したりしていいのであろうか。

学生に貸し出すために岩波新書や中公新書を揃えている大学図書館が、正常な大学図書館の姿といえるのだろうか。ハウツー物や旅行ガイドの風景のある大学図書館にいたっては、何をか言わんや。ましてや、利用率（貸出件数）の低いものは廃棄、五年を過ぎた学術誌は廃棄、廃棄したものは学生に下げ渡す、などというのは、大学図書館にあるまじき思想ではないのか。

手をのばせばそこに本がある

大学図書館は、本を貸し出してはいけない。

なぜなら、大学の図書はまず、学生が学問のまねごとをするための教材であり参考書であるからだ。そして、その大学の教員とまねごとがすんだ学生のための、研究資料であり参照文献であるからだ。これを邪魔しては、大学図書館は機能しない。

大学の図書は、であるから、動いてはいけない。学生や教員がやってくるのを、その場で動かずに待っていなければならない。「現在貸し出し中」とか「×日返却予定」などという事態は、あってはならないのである。そんな事態が大学図書館にとって異常であることに、ひとはなぜ気がつかないのか、不思議でならない。読書週間にしこたま借りていって家で読むような本は、大学図書館とは無縁なのだ。

繰り返す、大学の図書は動いてはいけない。

利用は、その大学の現役の学生と現役の教員が最優先される。卒業生といえども、OB教員といえども、脇役である。部外者は当然のこと。これは、大学を教育・研究の機関として機能させるために優先順位をつけたのであって、他大学の人間、一般市民の利用を拒むものではない。税金で買った本だから国民が平等に利用できるはずだというのは、納税者なら無条件で東大に入学できるというのとおなじ屁理屈である。大学の本は、その大学の学生が優先して使うものである。

東大の本は、東大生が使うものである。

そして、学生や教員にとって使い勝手のいい状態であってほしい。

手をのばせば、いつでもそこに本がある。

いつでも背表紙が目に入る。書棚のあいだを移動しながら、自然に書名が頭のなかにインプットされる。これを称して「外題（げだい）学問」という。

外題学問を侮（あなど）るなかれ。すべてはそこから始まるのだ、学問の入り口なのだ、知的好奇心の引き金になるのだ、初学者にはもっとも必要なものなのだ。だから、大学は外題学問ができる環境を、学生や教員のために（教員だって入り口の必要なときがある）用意する義務がある。そのためには、貴重書などの特別な本をのぞいて、全蔵書が開架であることが望ましい。それが無理でも、書庫内は開架式と同様に利用できるよう工夫されていてほしい。

右は中央図書館の話であるが、大学の蔵書は学部や学科の資料室、教員研究室にもある。多くの大学では、これらも附属図書館の管理下にある。望ましい環境は右とおなじである。演習や卒論に必要な文献が、文字どおり、手をのばせばそこにある状態。

地方国立大学の附属図書館をめぐる惨状

以下、ある地方国立大学の、どこにでもある架空のお話である。

大学キャンパスのほぼ中央に、附属図書館本館の建物が位置している。図書館の本はまず、この建物内に収蔵されている。ほかに、「保存書庫」と呼ばれるものがある。保存書庫は、中央図書館本館から直線で数百メートルの別の建物にある。蔵書検索して本館にない本は、この保存書庫にある。

こういったからといって、では保存書庫が閉架式書庫の機能をはたしているかというと、まったく違う。

いわずもがなだが、閉架式書庫とは、閲覧者が請求し、館員が書庫に行って持ってくるシステムになっている。雨の日もあろうに、書庫が離れた建物にあるというのは異常であろう。それでも、請求した資料が確実に無事に運んでこられるなら、許される。ところが、この保存書庫は、そのようになっていない。資料が函架番号で整理された書庫ではなく、大雑把な分類（社会科学・人文科学・自然科学といったレベル）のもとにランダムに置かれているだけである。いや、もっとひどい状況、であることは後述する。

したがって、附属図書館では、保存書庫の本はカウンターで請求しても閲覧できない。教員も学生も、鍵を渡されて「ご自身でどうぞ」という具合である。

先人の遺産が泣いている

という次第で、保存書庫とやらに入ってみる。

入ってまず驚くのは、本館の開架図書以上の充実ぶりであるということ。前身である旧制高校・師範学校時代の蔵書が、そのままの状態で眠っている。そこには、いまでも使用に耐える、しかしいまでは容易に揃えられない叢書類が並んでいる。まず、

国書刊行会叢書
国史大系
群書類従

がある。どれも数か所に分散しているので、どのくらい揃っているのか（欠けているのか）、いまのところ不明。ということで、ほぼ全冊揃いの叢書を、目に入った順に列記すると、

日本古典全集
日本名著全集
国文叢書
類聚（るいじゅ）名物考
国文註釈全書

未刊国文古註釈大系
博文館日本文庫
冨山房名著文庫
絵入文庫
有朋堂（ゆうほうどう）文庫
国民文庫正続
吉田松陰（よしだしょういん）全集
契沖（けいちゅう）全集
新井白石（あらいはくせき）全集
日本教育文庫
大蔵経（だいぞうきょう）索引
国訳大蔵経
日本倫理彙編
荷田春満（かだのあずままろ）全集
広（こう）文庫
古事類苑（こじるいえん）
大人名事典

大日本地名辞書
漢詩大観
五山文学全集
浪速(なにわ)叢書
大日本地誌大系
頼山陽(らいさんよう)全集
支那文学大観
藤原惺窩(ふじわらせいか)集
松宮観山(まつみやかんざん)集
漢籍国字解全書
日本名家四書註釈全書
国訳漢文大成
漢文大系
徳川実紀
徳川禁令考
御仕置例類集
大日本史

実隆公記
園太暦
言継卿記
徳川慶喜公伝
通俗日本全史
日本書紀通釈
日本歴史図会
故実叢書
史料綜覧
維新史料鋼要
大日本維新史料
史籍集覧
多聞院日記
近世日本国民史
異国叢書

等々々々。研究史上の名著（単行本）の数々は省略に従った。

これだけのものが、まったく使われることのない状態で放置されている。国立大学の宝の持ち腐れである。この書庫を見まわしているうちに、先達（せんだつ）の遺産の悲痛な泣き声が聞こえてくる。学生に背表紙だけでも見てもらいたい、と。

以上、旧制高校・師範学校の蔵書の惨状である。断っておく、戦前の蔵書に限った話である。

いまこそハコモノ行政の出番

さらに書庫の南側約四分の三のスペースは、新制大学になってからのものである。ここにも、いますぐにでも本館の開架に運びたいものがある。

（書目省略）

なぜこれらを本館に置いて、使える状態にしないのか。返ってくる答えはきまっている。本館にはもうスペースがない、と。だったら、なぜそのスペースを作らないのか。ハコモノを用意すればすむではないか。ハコモノ作りが手っ取り早いことは、歴史が証明したではないか。記憶に新しい歴史が、証明した。手っ取り早いもんだから、それで失敗した例もわたしたちは学んだではないか。中身もないのに、手っ取り早くハコモノを作って、厖大（ぼうだい）な無駄をやらかした。

この大学には入れる中身がある。中身はあるのに、それを入れるハコモノがない。ないなら、なぜ作らないのか。いまこそ、お得意のハコモノ行政の出番ではないか。大丈夫、今度は無駄にならない。入れるべきものがあるのだから。

天理図書館はもともと、中山正善（天理教真柱）の個人コレクションを入れるためのハコモノだった。そこからこんにちの姿に成長した。東京町田の無窮会図書館は、井上頼圀（国学者）の蔵書を入れるためのハコモノだった。東京都は、蔵書家の蔵書を戦火から守るために買い入れて疎開させ、戦後そのためのハコモノを作った。それが現在の都立図書館古典籍室である。慶應大学は、麻生多賀吉（実業家）の蔵書を収蔵するためにハコモノを作り、それを斯道文庫と名づけて漢籍書誌学のメッカに育てたのである。どれもこれも、入れるべき中身が先にあった。東北大学も狩野亨吉（哲学者）の蔵書があったから、日本有数の大学図書館を持てたのだ。

上野の西洋近代美術館は、松方コレクションを入れるためのハコモノなのだ。このハコモノが貸しギャラリーに堕しないのは、中身が先にあったからである。

天理や慶應や西洋近代美術館と比較されては気の毒だ、と言うのか。だから、わたしは言うのだ。貧弱を自覚するなら、貧弱な中身のためのハコモノなどたやすいものではないか、と。だからハコモノを作れ、と。天理ほどのものを作れなどとは、だれも言っていない。

知のリージョナルセンターが聞いてあきれる

教員研究室にある本のうち校費（いわゆる研究費）で買ったものも、附属図書館の蔵書である。

したがって、その教員が退職すれば、図書館に返却される。

返却された図書は、だから、本館の書架に並べられて利用に供される。と思いきや、そうではない。本館にスペースのないこの大学では、段ボールに入ったまま、保存書庫に運ばれる。そこで段ボールから出されて、書棚に配置される。と思いきや、そうではない。そのまま通路にうずたかく積まれる。だから、段ボールのむこうの書棚の本は出せない。というより、そこに何があるのかさえわからない。ランダムに配架されるよりもっとひどい状況とは、そういうこと。書庫ではない、物置である。

段ボールのなかに学問を閉じ込めて、大学でございと言うのか。税金で買った本である。演習や卒論に使わせるために、また教員自身の研究のために税金で買った本を、眠らせてどうしようというのだ。眠らせたものが通路を塞いで、書棚に出ているものの利用を邪魔して、どうするの？保存書庫にあるはずの『大日本人名辞書』をずっと捜しているのだが見つからず、あるとき学生のレポートにそれが引用されていたので、どのあたりの棚にあったのか尋ねたところ、県立図書館の参考図書室のを使ったとか。どこの図書館でも基本図書扱いされるものが、知のリージョナルセンターを標榜するこの国立大学では「物置」に放り込まれて、現在行方不明中というていたらくである。

スペースがないと、まだ言うか。だからそれを作れ、と言うのだ。

学生サービスを放棄した大学

知のリージョナルセンターであるべき地方国立大学が、その肝腎の「知」の蓄積を置き去りにしていることに、とくに若い教員は無力感を覚えている。こんな話を聞いた。

某国立大学に附設されている地域史研究所では、数年前から地元の某家襲蔵の古典籍や古文書を借りて調査をおこなっている。旧藩の家老の家柄で、藩制時代の貴重な資料を代々つたえている。藩政史の空白を埋め、また幕末蘭学史解明にも資する資料群である。江戸後期の当主数代が和歌や俳諧を嗜んでいたこともあって、この地域における和歌俳諧活動をつたえる文芸資料もきわめて豊富であることが、調査で明らかになった。

その調査報告のために、研究所のスタッフがうちそろって資料所蔵者の家を訪ねた。作成した資料目録を謹呈し、右のような学術的価値を説明して、今後さらに詳しい調査研究をすすめたいこと、ゆくゆくは資料集として刊行し学界に提供したいことなどを話し、資料の貸し出しの延長を申し出た。

当主は快諾したが、しかし、当主の思いは別のところにあった。

高齢に達したこの名家の当主は、先祖が伝えたわが家の知的財産をやがて管理できなくなる、それによって貴重な資料が散逸隠滅してしまう、そのことに深く心を痛めている。

そこでおたくの大学に期待している。大学に引き取ってもらって、研究や教育に役立ててほしい。研究所のスタッフたちは、当主の口ぶりから、それを察した。しかし、某家を辞すとき若手のスタッフのひとりが口にしたのは、つぎのような苦渋のことばであった。

「いまの国立大学ではどこも、こういった資料を受け入れても、教員が代わると、それを受け継ぐ人材がいなくなります。附属図書館も、日本史や国文学の原資料が扱える職員を、いまでは採用していません。わたしたちの研究所も、期限付きの施設ですから、いつ閉鎖になるかわかりません。資料のことを考え、また恒久的な利用に供するということを考えるなら、県立図書館か博物館がいいと思います」

繰り返す、これは苦渋のことばである。

この若手研究者は、うちはそんなもの要らない、と言ったのではない。日本近世史が専門のかれにとって、某家文書は喉から手がでるほどの研究資料の宝庫である。それが自分の大学のものになれば、いつでも自由に研究に使え教材に使える。研究者冥利、教師冥利につきる。

だが、大学は研究資料を生かせない、教育資材を生かせない、若い研究者の志を生かせない。何より、この大学は学生サービス（＝知性を売ること）に無関心である。

わたしが言いたいのは、こうである。

いまの大学は、若い研究者にこういうことを言わせる組織であるということ。学術資料のためを思うなら、大学ほど不適切なところはない、と。研究に必要なものは県立図書館に行けばいい、県立図書館にあるなら大学には要らない。

こんなことでいいんでしょうか。まがりなりにも大学です。地域貢献を大学憲章に掲げる地方国立大学です。こんなていたらくで、どうするんですか。この大学には「知」を蓄積するという思想、その「知」を生かして発展してゆこうという思想がないんですか。

〔覚書〕『佐賀大国文』四十二号（佐賀大学国語国文学会、二〇一四年三月）初出。わたしの退職記念号なので、無理をいって掲載させてもらった。こう言ったからといって、附属図書館からまったく本の借り出しをしなかったというほど、わたしは律儀者ではない。後半に出てくる二つの大学は、架空とはいえ、いまは改善されていることを願うばかりである。

第II部　文学青年から文学研究者へ

文学部への道

大学は解体されなかった

わたしは昭和二十三年に生まれた。

一年浪人して四十三年、大学に入学した。その前年から学園紛争[★1]が猖獗をきわめた。わたしたちは団塊の世代と呼ばれ、のちに全共闘世代と呼ばれるようにもなる。

日米新安保条約が自動延長になる四十五年六月が安保闘争[★2]の本番だったが、その前に学生たちは消耗した。六十年安保のときは反対運動の真っ最中に国会が強行採決せざるをえなかった、それを学習した政府自民党が巧妙に衝突を回避させたのだ、というもっともらしい説がある。

それはともかく、大学のなかで、学生だけが国家権力に反抗していたのではなかった。学生の暴走に手を焼いた教師も、すべてとはいわないが、現体制に批判的であった。学生は教官たちを権力の走狗と指弾しながら、運命共同体であることを期待した。教師は教師で、全共闘やそのシンパ学生に共鳴することによって、教育と学問につながっていることを実感しようとした。大学解体が本気で叫ばれ、既成の学問への懐疑が真剣にかたられた。だが、掛け声が大きかった大学ほど、変化は少なかった。そんな時代だった。

国立二期校[*3]の風景

すべりどめの大学には受かったものの、行くところがなければそこでもいいとは割り切れなかった。ぐずぐずして入学金を払わなかった。第一志望の国立一期校は、そのときのわたしの実力では、まぐれを期待するしかなく、案の定、まったく歯がたたなかった。

二期校は三月二十三日、二十四日が試験日である。学生の多くが帰省していて、閑散としたキャンパスだった。乾いた風に砂塵が舞いあがっていた。

試験会場は、一期校に合格した受験生のため、半分近くが空席であった。一日目が終わり、その夜の宿泊は、見知らぬ受験生数人の相部屋であった。行きずりの高校生たちだったが、妙に打ち解けて、全員、朝まで語りあった。わたしが抵抗なくその輪にはいれたのは、昼間の砂塵と空席とで受験生の緊張感をなくしていたからであった。

翌朝、話の盛り上げ役だった今治（いまばり）の受験生は、試験場に向かうみんなと別れて、高松（たかまつ）駅行きのバスに乗った。わたしもすでに浪人をきめていた。

文学・歴史のほうに進め

浪人をきめた友人たちは、はやばやと京都や大阪の予備校に行っていたが、わたしは五月になってようやく、福岡の予備校に入学手続きをした。なぜ福岡なのかといえば、受験した国立一期校が長崎大学だったからである。といっても、長崎に執着していたわけではない。二年目の受験も九州の大学を、というこだわりがあったのでもない。

わたしは、ひとりになりたかった。ひとりになって、ひたすら大学受験を最優先した生活、もはや一年も残されていなかったが、そんな生活を送ってみたいと思った。だから、同級生の多くいる関西方面は、わたしにとって環境はよくなかった。幸い、九州には親戚も知人もいなかった。それから十五年も福岡に居着くなどと想像していなかった。

唯一の娯楽は映画だけ。そうきめて、予備校と下宿の往復以外、土曜と日曜は中洲（なかす）や天神（てんじん）の映画館にかよった。四国の田舎では映画史でしか知らなかった名画を観ることもできた。

息抜きを兼ねて、これでもって効率的に世界史の知識を得ることもできた。「十戒」「エルシド」「わが命尽きるとも」「北京の五十五日」「カーツーム」「戦艦ポチョムキン」「アラビアのロレンス」「パリは燃えているか」「史上最大の作戦」「アルジェの戦い」などによって、わたしの世界史は暗記科目でなくなった。ついでに、これらの映画が、いい意味で史実を描いているわけではないということも知った。ともあれ、二本立てが多かったから、この年、邦画・洋画あわせて百本前後をみたことになる。わが生涯でもっとも映画館に通った時期であった。

週末のこの映画三昧（ざんまい）が、夏のある日、わたしにひとつの重大な啓示を与えた。文学・歴史のほうに進め、という声がわたしのなかで聞こえた。

見えなかった文学部という選択肢

よく考えてみれば、わたしは中学のときから、歴史や文学を好んでいた。にもかかわらず、大学受験で文学部志望という選択肢はなかった。田舎の中途半端な進学校では、大学の学部の選択は、そこで何を学びたいかよりも、また卒業後にどういう仕事をしたいかよりも、就職に有利な学部であるかどうかが優先された。大学というのは、そのための実学を学ぶ場所であった。そういう発想では、文学部は虚学（きょがく）の巣窟（そうくつ）に見えた。というよりも、文学部が目に入る環境ではなかった。教師の多くが文学部系の出身だったはずなのに、そして熱心な進学主任がれっきとした国文科出身の古典の教師だったのに、かれらの口から、国語が好きなら、英語が得意なら、歴史に興味があるなら、「文学部を受験してみたら」というアドバイスは聞いたことがない。

クラスに、三島由紀夫が好きで小説家のまねごとをする男がひとりいた。かれも何のためらいもなく、東京の私大の法学部を受験した。親も文学部など眼中になかった。翌年、父は、子供が大学に合格したことを喜ぶよりも、それが文学部だったことを心配した。

現役のとき、だから、経済学部を受験した。そういった方面に向いていると思ったのでも、関心があったというのでもない。田舎の高校にいたころのわたしに、知的好奇心などという人生選択の動機など、まったくなかった。

文学部には、名前を聞いただけでも魅力ある窓口がいくつもある、そのことを、迂闊にも浪人生活三カ月にして知った。文学部で、じゃあ何を勉強したいのかという戦略があったわけではない。それは入ってからきめればいい。迷うほどの選択肢が文学部にはある、それが文学部志望に転向した最大の理由であった。

かくして、わたしは九州大学文学部を受験した。

遅すぎる反抗期

文学部を現役受験した男子は皆無だったが、一年後、わたしを含めて五人が文学部に鞍替えして合格した。しめしあわせたわけではない。進学主任が、

「みんな、心境の変化か」

と笑った。後年ひょんなところで再会したとき、その古典教師は、「きみらは不思議な学年だったな」と言って、こう回顧した。

「長い教師生活で、あんなことは初めてだった。生徒に文学部を勧められない古典教師であることに、忸怩（じくじ）たる思いはあった。それはわかってくれ。だから、あのときは、心底（しんそこ）うれしかった。きみらのことは、教員室で語り草になった」

「語り草、ですか。つまり、その後そんなことなかった？」

「わたしの教師人生、最初で最後の事件だった。きみらの学年のことは忘れない」

「それって、卒業してから一年後の事件ですけど」

「浪人すると、成長するのかな」

わたしはしばらく考えて、言った。

「いや、われわれは子供に戻ったんです。どう見たって、大人（おとな）げないですよ。文学部を教えてくれなかった教師や親への、遅すぎる反抗期」

〈覚書〉『雅俗月報』十六号（二〇〇九年八月、電子媒体）に寄稿した「グループサウンズポップ」の一部を改稿した。

1　**学園紛争**　いまでは信じられないだろうが、このころ、学園紛争といえば、私立大学の授業料値上げに端を発することが多かった。理事会が値上げを打ち出すと、学生たちがそれに抗議した。学内デモを起こして、

街に繰り出すこともあった。入試中止に追い込まれた東大紛争は、医学部のインターン制度をめぐる不満からはじまった。やがて学内問題にとどまらず、反戦運動などと連帯するようになって政治闘争化していった。七十年代には三里塚闘争に加わり、浅間山荘事件などを起こした。平成の代になっても、一部の大学のサークルがかれらのアジトになっていて、だがそこにいるのは、アラフォー、アラフィフの元学生ばかり。もはや学園紛争ではなくなっていた。

2

安保闘争　日米安全保障条約が一九六〇年に改定されることになった。反対運動が全国的に展開され、六月にデモ隊が国会構内に突入して警官隊と衝突した。このとき、ひとりの女子学生が死亡した。これが六十年安保闘争。小説に柴田翔「されどわれらが日々」、映画に大島渚「日本の夜と霧」がある。

　改定された新安保条約は、ほうっておけば十年後に自動延長されるものであった。七〇年の闘争に向けて、反対運動がうごきはじめた、それが本章と次章の時代背景。七十年安保を素材にした作品としては……、すでにそんなことに興味関心を失っていた。

3

国立二期校　共通一次試験（センター入試の前身）実施の前年まで、日本の国立大学は、一期校と二期校に分かれていた。この区別は単に入試期日の違いであった。だが、区分が固定していたこと（二期校はずっと二期校）、旧帝大系や旧高等師範といった伝統校の多くが一期校だったことなどから、受験生や父兄のあいだに、「一期校イコール第一志望」という刷り込みが蔓延した。一期校に受かったものは二期校受験を遠慮するのが、受験界の仁義だった。結果、国立大学の格付けのようになったことの弊害は否めない。

文芸部部室と無邪気な夢

バスから見た六本松キャンパス

昭和四十二年の五月から、わたしの福岡生活が始まった。下宿のあった堤（つつみ）からバスで六本松（ろっぽんまつ）を通過して、天神（てんじん）の予備校に通った。バスの窓から見た六本松教養部は、新築の本館のこちらがわに、まだ木造の建物のある風景であった。

堤は福岡大学の学生の下宿がおおかったが、七隈（ななくま）キャンパスはまだ、いかにも丘陵を切り拓（ひら）いたばかりといった雰囲気を醸していた。福大だけでなく、下宿の周辺が田園地帯だった。最寄りのバス停までは切通し（きりとおし）を抜けて、両側が田んぼの田舎道を歩いた。

その年の暮れから正月にかけて、福岡の町は騒然としていた。アメリカの原子力空母エンタープライズの佐世保（させぼ）入港がきまり、全国の反戦運動家が福岡を前線基地として結集しはじめた。羽（はね）

田事件[★1]直後の、反日共系学生の重点闘争であり、ベトナム戦争ともからんだ七十年安保闘争が本格的に動きはじめた事件であった。空母入港は一月十九日であったが、年末年始から、市内のあちこちで機動隊と学生とのこぜりあいが繰り返された。

翌四十三年四月、九大に入学したとき、本館前の木造はなかった。

文芸部入部

わたしの六本松での生活の中心は、文芸部の部室にあった。

本館のほうから学生会館に行く道の右手に、木造平屋のサークル棟があった。みじかい廊下をはさんで、三部屋ずつ、都合六つのサークルが、オンボロ長屋と通称される建物のなかに同居していた。その裏には、水泳部のプールがあった。

入学して一と月にもならないころ、学生会館の食堂から教室に向かうわたしに声をかける者があった。文芸部の窓が大きくあけられていて、そこから、オリエンテーションの世話をしてくれた文科二年一組の赤塚正幸と蒲池信義が笑いながら、手招きしていた。

「いまから授業？」

「いえ、四時限目までは空いてます」

「ちょっと話していけよ」

そう言われて、たまたまそこにあった椅子に足をかけて、窓を飛び越えて部室に入った。それがわたしの文芸部入部の儀式だった。

大きな机と、どこからもってきたのか、頑丈な木の椅子だけの、何もない部屋であった。赤塚は、机の上の紙包みから、

「出来立てのホヤホヤ」

と言って、一冊の小冊子をわたしに手渡した。教養部文芸部の雑誌『壇（だん）』であった。

「なんとも、この意匠はセンスがないねえ」

と蒲池は、冊子の表紙を見ながら言った。

「おまえ、偉そうに言うだけで、作品も書かないくせに」

「書いてると、おまえの詩みたいなおセンチなものになって、なんともやりきれなくなる」

そのときどんな話題がでたのか、記憶にない。それほど話がはずんだわけでもなかったが、といって、気まずい沈黙に悩まされることもなかった。部室の窓からは、サッカーのゴールネットとグランドのむこうの、まだ木造だった体育館が眺められた。赤塚はときどき、「花の首飾り」[*2]のフレーズを口ずさんでいた。

その日、結局、四時限目の授業には出ず、夕方まで部室ですごした。

「晩飯は、生協（せいきょう）にするか。あっ、このあいだ、赤塚の下宿の近くでうまい定食屋、見つけたよ。知ってるか」

「おまえが初めてなら、おれが知ってるわけないじゃない」

「じゃあ、そこにしよう」

そう蒲池は言って、わたしも誘った。

「すみません。飯付きの下宿なもんで、もう帰らなきゃ」

わたしは、入学を機に、堤から鳥飼(とりかい)一丁目の下宿に移っていた。堤のときとおなじく賄(まかな)い付きであった。これは予備校生には最適だったが、朝食を食いはぐれないために寝坊はできず、夕食も八時まで帰らなければならなかったので、自由気ままな大学生活を謳歌(おうか)しにくかった。そのプレッシャーに耐えられなくなって、わたしは七月初めに、教養部の裏の谷(たに)二丁目の、間借りだけの下宿に越した。

ファントム墜落と政治の季節

入部の翌日から、わたしは文芸部の部室から授業に行って、終わればまた部室に帰ってきた。あのころ、日がな一日、何をして暮らしていたのだろう。

文芸部といっても、隅(すみ)の本棚に、数冊の文芸雑誌と売れ残った『壇』のバックナンバーがあるだけだった。部室には赤塚や蒲池の友人と称する二年生が出入りしていたが、だれが文芸部員であるのか、よくわからなかった。そういうわたしも、正式に部員になったのかどうか、曖昧なままであった。部費をとられるでもない、日常的にこれといった活動をするわけでもなかった。

そのうち、わたしの友人の一年生も部室に出入りするようになった。かれらも部員かどうか、本人さえはっきりした自覚がなかった。

わたしにとっての六本松キャンパスのはじめ半年は、文芸部以外では、エンタープライズ事件の余韻ただよう政治の季節であった。一年上のノンポリ学生たちからは、佐世保でのデモ参加の武勇伝を聞かされた。だが、安保条約やベトナム戦争、原子力空母入港は、学園生活とは直接の関係がない。デモに参加したり議論したりしても、観念の世界のことであった。わたしは、観念の世界で政治を語ることに、後ろめたさを感じていた。

ところが、入学後二カ月たった六月二日、われわれ九大生が無関係でいられない、わかりやすいといえばわかりやすい、とんでもない大事件が起こった。

板付(いたずけ)米軍基地のジェット戦闘機が夜間飛行訓練中、こともあろうに箱崎(はこざき)キャンパス理学部構内に建設中の大型電算機センター[★3]に墜落(ついらく)したのである。エンプラ闘争後いまひとつ盛り上がりに欠けていた九州の反戦運動に、文字どおり恰好の火がつき、墜落現場の周囲には、反日共系学生たちがバリケードを築いた。

抗議デモが各クラスで決議された。蒲池がクラス旗をつくろうと提案して、黒い生地(きじ)を買ってきた。

「アナキストか」

文科二年一組でもっとも理性的な判断をする興膳慶三が、苦笑いしながら言った。そのことばに、九鬼英子がうっとりしたように反応した。

「カッコいい。わたし、白い布あるから」

そう言って持って帰った。翌日、彼女は、黒地に白く大きく「L‐I」（文科I組）と縫いつけた旗を持ってきた。

六本松から貸切りバスで板付基地前に行く。帰りはみんな昂揚して「インターナショナル」★4を歌いながら、暮れなずむ国道を歩いた。いつのまにか博多駅前に出て、そこで解散になる。いま米軍基地がなくなって地下鉄で行く福岡空港は、博多駅からわずか二駅である。ずいぶん近かったのだと、のちにはじめて空港から地下鉄に乗ったときに知った。

小説の季節のなかで

文芸部という姿かたちがわたしに見えたのは、入部して一と月後、『九大文学』の合評会のときであった。『九大文学』は箱崎の学部の文芸部の機関誌で、去年進学した狩野博幸や津上直樹・諸熊勇助・碇浩一などが執筆していた。東中洲のレストランの一角を借り切って、近辺の大学の文芸部員が集まった。狩野や津上とはそれが最初の出会いだった。それからしばらくして、『壇』の合評会が教養部正門前の喫茶店「琥珀」でおこなわれた。『九大文学』の執筆者もやって来て、後輩の作品を遠慮なく斬った。

その『九大文学』に載った津上の「ロビンソンの島」が『文学界』の「同人雑誌評」で、かなりの紙幅をつかって批評された。中央の専門の文芸雑誌、しかも芥川賞・直木賞にいちばん近い雑誌に取り上げられるのは、至上のことであった。狩野が去年の『文芸』の学生小説コンクールの最終選考まで残ったということを知ったのは、『九大文学』合評会のあとの懇親会の席だったと記憶している。何々大学文芸部のだれそれが何々新人賞の一次選考をとおったとか、九大新聞主催懸賞小説「松原賞」の入選作の出来がいまひとつだとか。そういった話題が、わたしの耳にさかんに入ってきだしたころ、わたしも作家になるんだ、と単純に思いはじめた。

現代小説ばかり読んでいたからなのか、戦後日本文学史のなかでも、このころが「小説の時代」であったような気がする。

大江健三郎の「万延元年のフットボール」が話題になり、大江の最初の全作品集が出た。小説中心の文学全集花盛りのころであり、集英社の日本文学全集が安部公房集を一冊にするという英断で、それに「第四間氷期」と「他人の顔」および短篇数本が収まり、二百九十円。当時でもこれは文庫本より廉価感があった。重厚さとはほどとおい赤い表紙のこの文学全集を、おそらく多くの文学青年が、持って歩くには恥ずかしく、こっそり下宿で読み耽ったのではないかと思う。

大江・安部のほか、遠藤周作・石原慎太郎・開高健・安岡章太郎といった、油ののりきった作家が、新潮社の書き下ろしシリーズを精力的に書いていた。

季節の移ろい

理学部構内の建物に突き刺さったファントムの残骸は、九大学生運動のシンボルとなっていたが、それが年末のある夜、松の木にひっかかっていたパラシュートとともに、忽然（こつぜん）と姿を消した。それをわたしは、帰省した四国のわが家で知った。

見張り役の活動家たちが全員、現場を離れたすきの出来事であったという。だが、わずかの時間に、だれにも気づかれず、どうやってあの巨大な機体をおろし、だれがどこに運んだのか、謎が謎を呼ぶとはこのことで、さまざまな憶測がとびかって、無責任な小説もあらわれた。

東京では、三億円強奪事件があった。

作家への憧れ

さきの松原賞は、その選考委員が毎回交代していたが、かつて高橋和巳（たかはしかずみ）が務めたこともあると聞いた。もっとも、高橋が委員だったのはまだ駆出（かけだ）しのころであって、わたしの六本松時代には、前途有望な新進気鋭の流行作家であった。

前途有望といえば、庄野潤三（しょうのじゅんぞう）の小説「前途（ぜんと）」が出版されたのもそのころだった。庄野は戦時中、九大東洋史の学生であった。「前途」は、おなじ東洋史の一年上の島尾敏雄らとの交遊を、日記形式で綴った作品である。平尾の下宿をでて歩くところから小説は始まる。庄野らしい抑制された語り口で戦時中の学生生活が語られ、島尾の出征を見送る場面で終わる。古きよき九大文学部の青春がそこにあった。

わたしの文学への憧れは、プロの作家になるという夢想に育っていった。

松原賞に応募したそのときは、選考委員が小川国夫であった。この無名作家（当時は）に、「読み手に理解してもらおうという底意が見え透いている」という一言で、わたしの作品は斬り捨てられた。小川国夫らしい批評だと感心したのは、そのあとで短篇集「悠蔵が残したこと」を読んでからだった。

はじめて活字になったのは、教養部一年の終わり、三月発行の『壇』十四号に載せた短篇小説である。若さが空回りしていた。わたしの過去から消し去りたい出来である。大江健三郎を気取ったということがすぐわかる。

興膳慶三がある日、ふるい『文学界』を置いていった。

「政治少年死す」の載っている号であった。獄中自殺した浅沼稲次郎暗殺犯の少年をモデルにし、右翼から糾弾されて、いまだに単行本や作品集に収録されていない小説である。[*5]

「兄貴の本棚にあったんだ」

後年、その雑誌は、引っ越しを手伝ってくれた、まだ若き近代文学研究者だった花田俊典の手にわたった。花田は、雑誌を手にして、あの人懐っこい顔をくずして、「ああああーっ」と感激した。

「はい、これはおまけ。親父の本棚にあったやつ」

と言って、雑誌『改造』を差し出し、目次の「伊藤律(りつ)」[*6]の文字を指さした。伊藤の密航前の原稿であった。北京で生存していたというニュースがマスコミを騒がせていた。

その花田俊典も、数年前、とつぜん病死した。若すぎる死であった。

停止した時間

そのころすでに、学生たちは政治問題から冷めていた。九大闘争のシンボルが神隠しにあったように撤去され、反日共系学生たちの内(うち)ゲバがたびかさなって、共有された連帯感もなくなっていた。一般学生はかれら過激派を見離し、見離されたかれらは尖鋭(せんえい)化していった。

わたしの関心は、半年後にひかえた学部進学にあった。国語国文学を第一志望にしていたが、成績できめられるなら、とうてい無理だとはわかっていた。ところがというか、そしてというか、教務課の掲示板に貼りだされた名簿に、わたしの名前は第一志望にも第二志望にもなかった。一年でそろえておくべき単位の数に満たず、成績じたいがつけられなかったのである。わたしの進学先は、半年後、教養部通過の単位を満たした上で決定ということになって、宙ぶらりんのまま二年生を迎えた。

いまにして思えば、これが幸運であった。もし所定の単位に足りていれば、人気のたかい第一志望には行けなかった。わたしは決定を留保されたのであるが、その決定されなかったことが、ある事件によって、わたしに幸いした。などというと、不謹慎のそしりをうけそうであるが。

その事件とは——。

新学期が始まってすぐ、教養部の本館が過激派活動家に占拠(せんきょ)された。事務室と教官研究室の入る本館が封鎖されたことによって、大学事務は完全に麻痺(まひ)し、以後、教養部の授業はおこなえなくなった。わたしたちは、部室やミルクホールで駄弁(だべ)り、開放状態の別棟の教室の窓から、占拠された本館を見上げるという日々をおくった。

「春が来て夏が来て秋が来て」

そのころ、九州一円の大学・短大の文芸部を糾合(きゅうごう)した、九州学生文芸連盟、略して「九文連」というのがあった。大会を開いていたのだが、これが年に一回だったか二回だったか、よく憶えていない。はじめて参加したのが熊本大学での大会、このときはたしか冬休みの前だったように思う。西南大学で開催されたときは、徹夜で文学論を戦わせて、みんなして未明に櫛田(くしだ)神社に昇(か)き山を見に行った。もっとも、記憶が希薄になって、おまけに錯綜(さくそう)混乱しており、熊本も山笠(やまがさ)も九文連の大会とは関係なかったのかもしれない。

そんなことより、この九文連でどんなイベントをやっていたのかさえ、わたしは憶えていない。

ただ確実といえるのは、連盟が『九州学生文学』という機関誌を発行しており、わたしの手元にその第二号がある、ということだけである。昭和四十四年十二月の発行。表紙見返しに映画「ネレトバの戦い」、裏表紙に「毎日のもうアリナミンA」の広告が載っている。

それにわたしの「春が来て夏が来て秋が来て」という作品が掲載された。中学生のヰタセクスアリスといったもので、しかし深刻さや卑猥(ひわい)さを避けて、つとめて軽妙に書いた。軽いタッチにするため、文体は芥川賞の「赤頭巾ちゃん気をつけて」を真似た。というより、庄司薫(しょうじかおる)は「ライ麦畑でつかまえて」の野崎孝(のざきたかし)の訳文にならった云々と取り沙汰されたのだから、源流はアメリカ文学の特異な翻訳文ということになる。だが、自分でいうのも何だが、肩の力が抜けた、秀逸な小説だった。

慌ただしい六本松との別れ

機動隊導入で占拠学生が排除されたのは、十月であった。

津上直樹がその朝はやく、家庭教師先の高校生と一緒に、わたしの下宿にやって来た。

「起きろ、起きろ。始まるぞ」

昨夜、バイトが終わって帰ろうとしたとき、教養部教授会が機動隊導入を決定したとテレビニュースで知った、と津上は言った。ヘリコプターの爆音が、部屋の窓ガラスを震わせていた。

わたしたちは、照国（てるくに）神社のある丘に登った。何組かの見物人がすでに集まっていた。そこから、グランドと学生会館が見おろせた。

ヘリコプターが三機、蚊蜻蛉（かとんぼう）のようにゆっくり旋回していた。教養部のまわりは機動隊によって囲まれ、キャンパスのなかには人っ子ひとり見えず、上空の騒音を無視して不気味に静まりかえっていた。

放水が始まり、催涙弾（さいるいだん）の煙が、封鎖された本館から立ちのぼった。だが、本館の様子はそこからはよく見えず、わたしたちは丘を降りて、正門のほうにまわり、西鉄バスの営業所の前で本館を見上げた。むなしく宙を舞った火炎瓶（かえんびん）も尽きて、屋上に追い詰められた最後のグループが機動隊に捕捉（ほそく）されるのが見えた。それを機に、放水が終わった。思ったよりも呆気（あっけ）なかった。

「おい、まにあうのか」

津上が、連れてきていた高校生に訊（き）いた。

「だいじょうぶです」

そう言って、かれは大濠（おおほり）公園の方角に去っていった。

「大濠高校の生徒だ。機動隊と全共闘の戦いを見に行くといったら、登校前に連れてってくれと言って、ついてきた」

ヘリコプターがいなくなったころ、鼻を突くにおいが襲ってきて、目が痛くなった。風向きがかわって、催涙ガスがこちらに流れてきたのであった。

つぎの日、わたしは帰省した。ちょうど西条祭り（さいじょうまつ）の日にあたっていた。地元では、「盆と正月に帰省しなくても、祭りにはかならず帰る」と言われる。去年わたしも帰ったが、祭りはこれで最後だろうと、なんとなく予感した。事実、それ以来、西条祭りには帰っていない。

福岡に戻ってしばらくして、授業が再開された。年内に前期のすべてを消化して、十月一日付の名目で学部に進学させるために、あらゆることが慌ただしかった。慌ただしさのなかで、わたしの単位は満たすことができた。白紙だった進学先を届け出よといわれ、「国語国文」と記入したら、何も言われず許可された。

年があけて、晴れて箱崎の文学部に行ってみると、十五人定員のはずの進学生が、正確な数字は忘れたが、オーバーしていたことだけは憶えている。わたしと同類の国文進学生たちが、どさくさにまぎれて混じっていた。

本館封鎖がわたしに幸いしたとは、そういうことである。

「カインとアベルの息子たち」

「春が来て夏が来て秋が来て」を発表したのと前後して、『壇』十五号を発行した。引っ越したばかりの箱崎の下宿に、完成品が印刷屋から届けられた。掲載した作品「カインとアベルの息子たち」を太宰治賞に応募した。五篇前後を最終候補に絞って、それをプロの評論家や作家の委員が選考するのであるが、その前段階の、編集者の選んだ四十数篇の題名と作者名が主催雑誌『展望』に載った。そのなかにわたしの作品もあった。

後年、もう四十代の終わり、学位論文の口頭試問がすんで、居合わせた大学院生をさそって中野三敏教授と懐かしの箱崎で夕食をともにした。そのとき、わたしがむかし小説を書いていたという話題になった。教授は例によって、

「直木賞候補になったんだぜ」

と話を大きくした。

わたしは苦笑いしながら、しかし、わざとはっきり否定しなかった。

だれもいない文芸部部室

六本松では、わたしの生活は文芸部の部室とともにあった。だが、箱崎のキャンパスに、六本松で馴染んだような文芸部の部室はなかった。コンクリートの床に、薄い板のデスクとスチール製の椅子だけの部屋であった。北向きのその部屋は、開け放つ窓さえなかった。何より、そこに一日いても、やって来る人間などいなかった。

国語国文科に同時に進学した学生たちは、この半年のあいだ、研究室の一員になるための準備をしていた。なかには、万葉集を学びたい、源氏を原文で読んでみたい、そういった明確な動機をもって文学部を受験したもののもいた。かれらはずっと以前からこの研究室に憧れていたのである。入学時のオリエンテーションで「ヘッセをドイツ語で読みたい」と自己紹介した独文科志望の女子学生もいた。何をやるかは入学してから、入学してからも怠惰（たいだ）に暮らし、学園紛争の混乱に乗じて進学できたわたしなどとは、スタート地点が違っていた。いや、わたしがレースに参加しようとやってきたときには、すでにスタート台が取り払われていた。現代小説しか読まない文学青年気取りのわたしの居場所は、この研究室にはなかった。

わたしの足は、部室からも教室からも研究室からも遠のいていった。

彷徨（ほうこう）のなかで

「よど号事件」があった。日本国が遭遇した最初のハイジャックである。物見高い友人たちは福岡空港まで見に行ったが、わたしは箱崎の定食屋のテレビでちょっと見ただけであった。野次馬（やじうま）の友人のうちのひとりは、板付基地前で勇敢に機動隊にぶつかっていった元ノンポリ活動家であった。事件は三月三十一日に起こっている。六月の安保闘争の本番をひかえていたが、わたしもそのノンポリ学生も、もう完全に政治の熱から冷めていた。

よど号事件への無関心は、六本松での政治の季節と作家への無邪気な夢がとっくのむかしに終わっていたことを、わたしに自覚させた。文芸部の部室によくやって来た反帝学評[＊7]の坂井という青年が、東京近郊のアジトで起こった内ゲバで死んだ。だが、友人からそれを聞いたときも、もはや身近な事件ではなかった。デモで聞き覚えて自然に口にしていた「ワルシャワ労働歌」[＊8]も「インターナショナル」も、そして鼻歌で感傷に耽った「若者たち」[＊9]も、自己嫌悪をかきたてるだけのものになっていた。アナキストのクラス旗も、所詮は、政治にのめりこめない軽薄な若者のお遊びだったのか。

やがて、大江健三郎はもちろんのこと、あれだけ熱中した現代小説を読めなくなっていった。そのころのわたしは、社会でおこっていた出来事もほとんど知らなかった。あの浅間山荘の攻防もテルアビブの乱射も、リアルタイムで、つまりテレビや新聞でそれらの事件を知ったのではない。

社会の出来事から絶縁し、現代小説からも距離が感じられるようになると、わたしは、わたしには何もないということを、いやでも知らされた。卒業論文や教員試験といった、教養部時代の友人たちの話題は、何の目的もなく箱崎の街を徘徊するわたしには無縁の世界であった。

文学青年との訣別

いまでも、ときどき夢を見る。履修届の時間割は埋めるのだが、授業に出ない。あしたは出ようと思いながら、そう思うだけで、ずっとひっかかっている。そんな毎日をおくる。学期が終わっても、一向に単位がとれていない。自然科学の単位がゼロのまま。進学できない卒業できない。こんなことを家族に知られては……。

えっ？　おれって結婚して仕事もちゃんとしてるじゃん。いまさら大学なんて卒業しなくても、と思いつつ、何度も見ているから、「ああこれは夢なんだ」というところで目が覚める。

陳腐な言い方だが、若いということはけっして美しくなんかない。どこか猥雑で、それでいて底抜けに無邪気で、なのに存在することじたいが恥ずかしく、それを人にのぞかれることの恐れがつねに付きまとっていた。あのころを回顧するたび、三分の懐かしさにひたったあと、七分の嫌悪感に襲われる。

わたしは、なにごとにも、自分の興味関心のあることにしか手をださず、あとは成り行きにまかせて生きてきた。そんなわたしもいまでは、世間的にまっとうな暮らしをしている部類には属する。だから、どこかで人生を軌道修正させたはずである。おそらく、軌道修正したときが、六本松の青春との遅すぎる訣別であったのだろう。

跋

還暦の記念の趣向にと、かくのごとき文章をちかしい人に配ることにした。『さようなら六本松』に寄稿した一文に最小限の手を入れるつもりが、大幅に加筆してしまった。『さようなら六本松』は、来年四月に糸島に移転する九州大学六本松キャンパスの惜別の文集である。文集掲載には、松本常彦くんにご配慮いただいた。

本冊子の印刷・製本の錦明印刷は、新潮社編集部の佐々木勉くんの仲介による。佐々木くんはおなじ六本松の同窓生であり、わたしの原稿を読んで、商売抜きで編集にあたってくれた。思いがけず一流の印刷所と凄腕の編集者の手を経ることになって、町のコピー屋で仮製本のつもりの私家版が、身にあまる冊子に仕上がった。

わたしにとっての六本松は、もちろん前身の教養部である。わたしの学年のみ、実際の在籍が一年六カ月ではなかった。その事実も含めて、六本松の一年九カ月は、わたしの内なる人生でもっとも事件が多かった。

だが、記憶ははなはだ頼りない。本作の登場人物のなかには、「そんな事実はない」と抗議される向きもあるだろう。しかし、文中に記したことをもって、六十歳のわたしの「内なる事実」としたい。所詮、歴史とはそんなものであり、「そんな事実はない」というのも、おそらくは、その人の「内なる事実」であるのだろうから。客観的に確実なのは、手元の日本史年表で確認したエンプラ入港やよど号事件、当時の新聞で確認するしかなかった米軍機墜落の日付ぐらいである。年表をめくりながら、新聞の縮刷版をみながら、わたしの六本松時代はすでに「歴史」のなかにあることを実感した。

この八月、浦島太郎さながら、六本松界隈を歩いてみた。東京に出て以来であった。教養部周辺にわたしの知るたたずまいはなく、よく屯（たむろ）した喫茶店「琥珀」のあった位置も、覚束（おぼつか）なかった。文芸部の部室のあったあたりに立って、教室からグランド、亭々舎（ていていしゃ）、かまぼこ長屋、テニスコート、学生会館へと目を移した。記憶にある空間も少なくなかったが、それも街の風景のあとを追って、やがて消えてゆく。正門から歩いて大濠公園にたどり着いたが、わたしの内なる事実とは重ならない道だった。

そういえば、今年正月、丸の内の仮庁舎から虎の門に戻ってきたとき、わずか四年のうちの様変わりに驚いた。七十年前夜の青春への訣別を記した一文が、文部科学省を去るわたしの、第二の訣別の心境に、お誂（あつら）えむきに重なった。還暦（定年）の趣向に使おうと思ったのはそのためだが、では、二十六年の役所勤めが第二の青春だったのかと言われたら、厚かましく、そうだったかもしれないと答えよう。無邪気さはなくしたが、空回りばかりする文学青年のままで、結局わたしは大人になれなかった、という意味で。

平成二十年十二月、廉斎（れんさい）窓下に記す。習志野の茅屋（ぼうおく）を廉斎と称するのもこれが最後になる。

〔覚書〕私家版として刊行した同名の作品（廉斎書屋、二〇〇九年一月）。執筆・出版の経緯は跋文に記したとおりであるが、『さようなら六本松』の出版がそれに遅れて同年三月になった。多くの部分に加筆をおこなった。

1　**羽田事件**　一九六七年十月と十一月、佐藤首相の外遊を阻止しようとする左翼学生と羽田空港を警備していた機動隊（きどうたい）とが衝突した事件。学生が角材とヘルメットで武装した最初といわれる。以後、学生運動は武装闘争が常態化した。この事件で京大の男子学生が死んだ。

2　**花の首飾り**　ザタイガース最大のヒット曲。一九六八年三月発売。

3　**大型電算機センター**　電算機とは電子計算機の略語であるが、コンピュータの語が普及して、いまや死語となった。大量の情報処理のためには、物理的に大きくなければならなかった。どのくらい大きいかというと、建設中の電算機センターは、計算機本体と付属の施設や機材などを収めるために、六階建てのビルだったという。国立大学の共同利用のために、全国の基幹大学数校に、国が建設をすすめていた。

その後の電算機の進歩はめざましく、わたしたちの机上にあるごく普通のパソコンの情報処理能力は、この大型電算機の数倍だという。かくして、大型電算機も大型電算機センターも死語と化した。スーパーコンピュータとは違うらしい。

4　**インターナショナル**　労働歌、革命歌。パリコミューン（一八七一年）のときに作られた詞に、のち曲がつけられた。何種類かの日本語訳があるが、わたしたちの歌っていたのは、左翼系演出家の佐々木孝丸（たかしまる）・佐野碩（せき）の共同訳。

5　**政治少年死す**　のち、『大江健三郎全小説』3（講談社、二〇一八年）に収められた。

6　**伊藤律**　戦前から戦後にかけての左翼活動家。一九五一年、中国に密航した。ゾルゲ事件（一九四一年）で情報を官憲に売ったとして、スパイ容疑で日本共産党から除名され、中国共産党に身柄を拘束された。以後その消息は日本に入ってこなかったが、八〇年に中国政府が伊藤の生存を公式発表した。帰国後、「現代史の生き証人」といわれたが、何もかたらなかった。

7 **反帝学評**　全国反帝学生評議会連合の略。社青同解放派（しゃせいどうかいほうは）の学生組織というが、乱立していた過激派集団を識別差別化できる一般学生はいなかった。

8 **ワルシャワ労働歌**　ポーランド人によって作詞作曲された革命歌の代表。日本語訳詞はプロレタリア作家の鹿地亘（かじわたる）による。反日共系全学連の愛唱歌であった。

「戦艦ポチョムキン」はサイレント映画であったが、日本公開のとき（一九六七年）音楽が挿入された。学生会館で上映され、「ワルシャワ労働歌」のメロディーが流れる場面があった。そのとき会場の一部から拍手がおこったのを記憶している。

9 **若者たち**　同名のテレビドラマの主題歌としてヒットし、一九六八年に映画化された。やたら議論ばかりしている映画で、それを好む学生と嫌う学生にわかれた。三男役だった山本圭（やまもとけい）は、翌年公開の「人斬り」でそのまま幕末にタイムスリップしていた。分別盛りになっても学生運動の過去を引きずる中年の役が、どういうわけか似合っていた。

中野三敏先生と和本修業

和本との邂逅(かいこう)

わたしは文学青年の気分が抜けない、しかしそれに自己嫌悪をおぼえる中途半端な状態だった。文学青年離れのきっかけを摸索していた。

そのころの研究室にはまだ、松平(まつだいら)文庫や日田(ひた)調査の興奮の余韻が残っていた。国文学研究資料館開館のための予備調査が始まったこともあって、今井源衛(いまいげんえ)先生・中野三敏(なかのみつとし)先生の国文学講座では、大学院生たちを連れて福岡近辺の図書館や文庫によく出掛けていた。わたしがこの手の調査に参加したのは、大学院浪人で時間を持て余しているのを見かねて、両先生が声をかけてくれたのが最初であった。

「アゴアシ付きで、わずかだが日当も出す。ただし撮影機材の荷物持ち」

それで行ったのが長崎県立図書館。当時そこに寄託されてあった諏訪神社の資料、それが中島広足（一七九二～一八六四）・長瀬真幸（一七六五～一八三五）との出会いであった。わたしは、この調査旅行で、中野先生から、大量にまとまった、しかも未整理状態の実物を使って和本書誌学の手ほどきを受けた。教室では絶対かなわない贅沢な授業であった。

　これだけ親しく和本に接するのは初めての体験であった。広足も真幸も初めて聞く名前だった。わたしは、そこに没入することで文学青年とおさらばできるような予感を持った。

　それ以後、研究室でおこなう文庫調査にはすべて参加した。島原市公民館（松平文庫）・秋月郷土館・久留米市立図書館・祐徳稲荷神社・多久聖廟・耶馬溪風物館などなど。そのなかで、わたしをもっとも鍛えたのは、秋月藩藩校旧蔵書（郷土館現蔵）の調査整理であった。いちばん頻繁に出掛けて、目録刊行までかかわったというのもさることながら、未整理状態、というより無政府状態から始めなければならなかったからである。

　和装本を扱えばだれしも最初に知るのは、近代以前の書物は何冊で一部というものが多い、ということである。古今集は活字本の古典全集ものなら一冊ですむが、和装本は二十冊・十冊・五冊・二冊などまちまちに製本される。現在なら文庫本一冊で刊行される西鶴（一六四二～一六九三）の小説も、一部が四冊や五冊に製本して出版された。源氏物語五十四帖が一冊に綴じられるということは、まず、ない。群書類従のごときは、いわずもがな。こういった形態の本は、整理整頓がわるいと、ばらばらになる。散らばって本体から離れたもの、それを「端本」という。

靴下の片一方を捜して

　秋月の本が無政府状態だといったのは、ほとんどの本が散らばっていた、つまり本体というようなものはなく、そこからはぐれた端本の山また山であったからである。わたしたちが最初にやらねばならない作業は、散らかった靴下の片一方を捜すように、棚や床に置かれた端本の山から連れになるものを見つけだして、揃いを作ってゆくことであった。揃ったものを紐で結わえて、はしから順に並べる。

「おい、伊勢物語の下冊、どっかで見たよな」

「ああ」

「ここに上冊があるんだけど」

　そう言って、端本の山を見渡して絶望的になる。トランプの神経衰弱状態である。

「そこの源氏物語、揃ったんじゃないのか」

「夕顔と浮舟が見つからないんですよ」

　最後のピースが行方不明になったジグソーパズルである。

「おい、紐をくれ」

　見ると、三十冊ほどの本を嬉々として結わえている。棚に並べて、

「よっしゃ、一丁あがり」

と言って、こちらはパズルの完成、一服しに外に出てゆく。

上冊と下冊で揃いができたと思っていたら、あとで中冊が出てくる。一・二・三・四冊と揃ったが、五冊目以降が存在するのやら、しないのやら。先ほどの夕顔も浮舟も、この文庫では紛失していて、最後まで出てこないかもしれない。複数セットの同書名・同内容の本が巻序ばらばらで集められて、はてどれとどれが連れであるのかに頭をひねる。

この最初の作業がもっとも大変だったが、いちばん楽しくて、作業しながら存分に軽口がたたけた。しかし、わたしたちはみんな、ばらばらの端本をどうやったら要領よく揃えられるかを学習していた。人から教えられることもあったが、自分でも工夫した。まだ揃わないものが、本来は何冊のものであるかを知る術というか勘というか、そういったものもいつのまにか身につけていた。小口（こぐち）を見て連れかどうかを見分ける裏ワザも、わたしの場合、教えられたのではなく、自分で気づいた。わたしたちは、軽口をたたきながら、知らないうちに、国文学研究の原点である、書物の知識、扱い方、見方、大袈裟（おおげさ）にいえば鑑識眼を身につけていたのだ。

おさらば文学青年

全部の揃いができたら（結局、揃わないままのものも多くあるのだが）、棚に番号をつける。半紙を短冊状に切って、紐で結わえられた本一部ごと、書名・著編者名・巻数・冊数・写本刊本の別など、および棚番号を、短冊に書き込んで、本に挿(はさ)んで垂らしておく。それが終わると全部の短冊を引き抜いて、旅館にもって帰る。

と、こう書くと、一日仕事のように思われるだろうが、じつは、二泊三日とか三泊四日といった泊り込みの集中調査を何度も繰り返して、ようやくここまでたどり着くのである。

旅館での仕事は、短冊の分類作業である。当時もっとも合理的といわれていた内閣(ないかく)文庫の分類方式にしたがって、該当する箇所に短冊を置いてゆく。短冊に書かれた書名だけが手掛かりだから、内容のわからないものはどこに置いていいかわからない。そこは稀代の本好きの中野先生が、それは政治、これは医学書、ああそいつは金魚の飼い方の本、という具合に指図する。中野先生が首をひねるような未知の本は、あした現物で確認する。

「金魚の飼い方の本なんて、どこに分類しますか」

「金魚そのものなら、生物学、か？」

「雑本(ざっぽん)という分類項目でもつくるか」

「じゃあ、分類に迷ったやつは全部、雑本行きだ。雑本のなかで分類がいるな」

内閣文庫の目録を熱心に見ていた院生が、朝顔の観賞の仕方らしい書名を見つけて、

「その手のものは諸芸のところに入っているようです」

「それは芸能の下位項目だろ。能や狂言と一緒に括(くく)れるかな、金魚が」

書名で見当のつくものもあるのだが、

中野「『介石記』を自然科学に置いたのは誰だ」
白石「ぼくですが」
中野「これは実録小説だよ」
白石「えっ、鉱物学の本じゃないんですか」
中野「赤穂義士の話だ」
現物はないが短冊の書名で学習し、こうやって書物の知識、文学史だけでなくトリビアな雑学も増えてゆく。これを称して「外題学問」というのだが、外題学問を馬鹿にしてはいけないというのは、このとき中野先生から教わった。たしかに、これで身についてゆく知識は馬鹿にならない。
かくして、わたしが九州を離れる前年、秋月文庫の蔵書目録が刊行された。それは文学青年との訣別でもあった。

〔覚書〕中野三敏先生傘寿記念文集『雅俗小径』（雅俗の会、二〇一五年十二月）初出。

今井源衛先生と『学海日録』刊行始末

学海遺著・旧蔵書の行方

依田学海（一八三三〜一九〇九）の旧蔵書の一部は、麻布飯倉（東京都港区）の徳川侯爵家（旧紀州藩）の南葵文庫に入った。この文庫は、明治の末から私設の図書館として一般にも公開されていたが、大正十二年の大震災で壊滅した東京帝国大学図書館復興のため、震災の翌年に同図書館に寄贈された。なかに、中国好色小説の代表作『金瓶梅』の学海旧蔵書なること明白な一本があり、この本のことを、かの文豪森鷗外が、自伝的作品「ヰタ・セクスアリス」に書きとめている。

主人公の金井湛くんは、十五歳のとき、父親に頼んで、向島に住む文淵先生という漢学者のところへ漢文を直してもらいに行くことになった。この文淵先生のモデルが学海である。書生に案内されていった書斎で、持っていった漢文に、先生はかたはしから朱筆を入れて直してゆく。そして、ある日、つぎのようなことがあった。

先生の机の下から唐本（とうほん）が覗いているのを見ると、金瓶梅であった。僕は馬琴（ばきん）の金瓶梅しか読んだことはないが、唐本の金瓶梅が大いに違っているということを知っていた。そして先生、

なかなか油断がならないと思った。

つまり、この文淵先生の机の下からのぞいていたとおぼしき本が、東京大学図書館現存本にちがいない。

そのほか、成田（なりた）図書館にも依田学海文庫としてその旧蔵書が入っているが、質量ともに充実した学海遺著・旧蔵書は、なんといっても、東京都町田市の無窮会（むきゅうかい）図書館に所蔵されているそれである。刊行された学海著述のほかに、厖大（ぼうだい）な量の漢詩・漢文の自筆草稿類および未刊の随筆類など、学海の息美狭古（みさご）氏によって寄贈されている。

本書（『最後の江戸留守居役』）で紹介した学海の日記『学海日録』も、この学海遺著のうちにある。安政三年から明治三十四年までの四十五年にわたって記されたこの日記は、明治の文学・社会・風俗の好個の資料として、さらには絶好の読み物として、一部の研究者のあいだでは、たかく評価されていた。ただ、未活字だったため、長くその利用には不便をかこっていた。

だが、最近、まったく思いがけない資料が、思いもかけないところから、思いもかけない人に

よって発見された。思いもかけないという点で、『学海日録』以上の逸品と称しうるが、この思いもかけない資料の発見と公刊が呼び水となって、『学海日録』の活字化が実現された。

妾宅日記の発見

昭和五十六年三月から一年間、九州大学名誉教授の今井源衛氏は、ソウルの韓国外国語大学校客員教授として滞韓していた。今井氏は、講義のあいまをぬって、国立中央図書館などに現蔵する朝鮮総督府や京城帝国大学（現、ソウル大学）の旧蔵本の調査に出掛けていた。そこで偶然手にしたのが、この資料であった。

和綴五冊の写本で、表紙には「墨水別墅雑録」あるいは「墨水雑録」と墨書されていた。第一冊が欠けているらしかったが、現存する五冊の内容は、明治十六年九月から三十二年十二月にかけての日記であった。しかも、全文が漢文で、なかに漢詩もまじっている。標題にある「別墅」とは別荘のこと。すなわち、墨田川畔の別荘での閑雅な生活が漢文で綴られているのである。

この『墨水別墅雑録』の作者が、どうやら明治の文人依田学海であるらしい。だが、今井氏は平安文学専攻であるし、しかも参照文献に乏しい海外である。学海をよく知る人といえば、森銑三・関良一・越智治雄氏などだが、当時いずれも鬼籍に入っていた。頼みは立教大学教授（当時）の前田愛氏ぐらいで、前田氏と個人的に親しかった今井氏は手紙で問い合わせた。学海にこれこれの漢文日記があったことを知っているか、と。日本からの返事は、知らない、であった。

伝記を参看すれば、学海は明治八年から十四年まで、墨田川にのぞむ向島須崎(すざき)村（現、墨田区）に居をかまえていた。鷗外が通っていたのは、この家である。十四年六月に四谷塩町(よつやしおちょう)に転居、さらに十六年六月に神田小川町(かんだおがわまち)に引っ越したから、『墨水別墅雑録』の伝存分の執筆期間は、すなわち学海の小川町時代にあたる。

それがわかって『学海日録』を読んでみると、なるほど、学海ら家族が四谷に移ったとき、向島の家を処分したわけではなかった。人手にわたすのが惜しく、かつて世話になったことのある祖山(そざん)という老尼に、旧宅の管理を依頼している。しかも、庭の樹木や石などもそのままにして損なわないよう頼んでいるのである。学海はそこを「柳蔭精廬(りゅういんせいろ)」と名づけた。

以後の『学海日録』にはしばしば「墨水に至る」「墨水より帰る」という文字が出てくる。そして、学海が墨水に滞在して『学海日録』が空白になる期間は、『墨水別墅雑録』によって多く埋めることができる。

つまり、学海は、本宅と別荘とで別々の日記を記していたのであった。

墨田川畔は、徳川の時代以来、文人墨客(ぶんじんぼっきゃく)の愛した土地である。学海もここでは、市中の喧騒(けんそう)をのがれてしばしの風雅の生活を送る。『墨水別墅雑録』には、そんな文人学海の精神生活が綴られている。

さらに興味ぶかいことに、この別宅日記には瑞香(みずか)と名乗る女性があらわれ、どうやら別荘の住人であるらしい。この女性は、『学海日録』にもしばしばその名が見られ、明治十八年の学海の関西方面の旅行にも同行しているのだが、本宅日記からうかがって、いまひとつ素姓のはっきりしない存在であった。が、瑞香なる女性が別荘の女主人であるのなら、これは学海の妾。墨堤の家は妾を囲うためのものであることが判明した。

学海にとってこの家は、若い愛人瑞香との生活の場でもあったのだ。別荘を訪れる友人の話し相手をさせ、ときには漢詩の手ほどきまでする学海の姿はほほえましい。だが、女が囲いものゆえの嫉妬心をおこしたり、ある時期からひどくなるヒステリーの発作にみまわれたりすると、学海はうろたえ、必死になって女の機嫌をとる。たまらず癇癪をおこして罵ることもあった。女もまけずにやりかえす。そんな男女の愛憎うずまく生活がこの日記のなかには展開している。

ところで、これが公刊されたとき、日記を漢文で書いたということに関して、妾に読まれないようにするためだろうと推測した評論家がいた。だが、いま言ったように、この女は学海から漢詩漢文を教授され、それなりにこなして学海を喜ばせている。漢文を創作できる女が漢文を読めなかったはずはない。むしろ、学海はすすんで女に読ませていたであろう。

漢文で日記を書くのは、あの鷗外の例（『航西日記』など）をもちだすまでもなく、この時代にさして特殊なことではない。ましてや、学海は漢学者であり、漢文作家として名を馳せた。漢文は学海の日常生活の大部分を占めていた。この漢文日記は、学海にとって、俗世界から離れた風雅の地でつくる文学作品であったのだ。そのことは、今井氏の報告されたように、おびただしい推敲跡（こう）のあることからも裏付けられる。文学作品であるから、女に読ませていただろう。わたしには、女が辟易（へきえき）するぐらい「読め、読め」といっている学海の無邪気な姿が髣髴（ほうふつ）としてくる。

ついでにいえば、『学海日録』も、その初めのほうは漢文で書かれている。書きはじめたころの学海は、この日記をやはり、作品として意識していたと思われる。それがいつのまにか俗文になって、当初のもくろみが挫折したのである。『墨水別墅雑録』執筆の動機は、おそらく、そのときからの延長線上にあるものと考えてよかろう。

本宅日記とその研究会

今井氏の専攻は平安朝文学だから、明治の一文人の日記に興味をもったのは、ちょっとした好奇心からに相違ない。だが、この好奇心が、知られざる近代文学史の発掘となった。さらに、これまで価値の高さのみ喧伝（けんでん）されながら、浩瀚（こうかん）さと難読ゆえにだれも手をつけられなかった『学海日録』の刊行をみることになり、かててくわえて、この日記が、資料的価値だけでなく、その面白さにおいて近代日記文学の横綱級との評価をも得るに至ったのである。

今井氏は『墨水別墅雑録』全冊の写真をたずさえて帰国し、本格的にその解読にとりかかった。そして、悪戦苦闘のすえ、六十二年四月、出版にまでこぎつけた（吉川弘文館刊）。

妾宅日記の公刊は、当然、本宅日記である『学海日録』刊行の要求をおこさせる。書きつづけられた期間、分量からいって、妾宅日記の比ではない。資料的価値は関良一氏や越智治雄氏によって、内容の面白さは森銑三氏らによって、はやくから注目されていた。学界の共有財産としての活字化は、一部の研究者のあいだでも長く渇望されていたし、本来、妾宅日記よりも先に刊行されねばならない性質のものである。

それが容易になされなかったのは、ひとつには、先にもいったように、その分量ゆえである。原本四十四冊にのぼる厖大（ぼうだい）なこの日記、こんにち活字化されたものを見るに、四六判、一冊平均四〇〇ページで全十一冊。くわえて、はなはだしい崩し字、虫眼鏡をもってしても読みづらい小さな字、気紛れな誤字・脱字・宛字（あてじ）、処々に頻出する漢詩や漢文など、その難読ぶりには超の字がつく。これは、とうてい研究者一個人の手におえるものではない。

しかし、このくわだては、妾宅日記が世にでたいまをおいてはない、この機をのがせば、おそらく二度と陽（ひ）の目をみないであろう、妾宅日記解読のときの経験を生かして、人数を頼りにやればなんとか成し遂げられるだろう。とは、そのころすっかり学海研究者になりきっていた今井源衛氏の使命感である。さっそく、市川任三（いちかわにんぞう）・松崎仁（まつざきひとし）・中野三敏（なかのみつとし）の三氏に声をかけ、この四氏が兵隊を招集して、総勢二十四名のメンバーで「学海日録研究会」が組織された。

研究会は、メンバーの居住地および専門分野などを考慮して四グループに分かれ、いっせいに、まさに人海戦術でもって判読作業が始まった。わたしが属したのは、松崎氏をキャップとするグループ（東京チーム）で、渡辺憲司（わたなべけんじ）・法月敏彦（のりづきとしひこ）・鹿倉秀典（しかくらひでのり）・宮崎修多（みやざきしゅうた）の諸君と一緒に、各自の予習してきた担当箇所の読み合わせをおこなう。この作業が、月一回のペース（一時期、毎週というときもあった）ですすめられた。手元のメモでは、国文学研究資料館勤務（当時）の宮崎氏の研究室で顔合わせをしたのが昭和六十三年八月、のちに場所を松崎氏の横浜のお宅に移した。研究会の打ち上げが平成四年三月であった。

　わたしにわりあてられたのは、文久三年から明治二年までの期間、原本でいえば、第八冊から第十二冊までであった。この時期の学海といえば、佐倉藩（現、千葉県佐倉市）の郡代官、江戸留守居、そして新政府出仕の議員であって、自然、日記もその方面の記事がだんぜん多い。わたしがそれらのことに詳しかったわけではなく、ただこの期間の日記の文字に写真では判読しづらいところが多かったため、原本にあたる便のいいところに住んでいるわたし（当時、東京都東久留米市在住）におはちがまわってきただけのことであった。だが、米粒のような文字と格闘し、内容確認のために国文学以外の文献をひっくりかえすことは勉強になったし、また楽しくもあった。

文学史登場以前の依田学海

　机のまわりには、いつのまにか幕末維新関係の書物が積まれるようになった。そして、日録の刊行後、近代文学史登場以前の学海について書いてみたいと思うようになった。そんなことを、なにかのおりに笠谷和比古氏に話したところ、ちくま新書を紹介された。

学海は、本書にも顔をだした西村茂樹や川田甕江・加藤弘之、あるいは成島柳北・大槻文彦といった人たちと同世代である。かれらは維新の混乱期において、幕臣であったり、徳川譜代の大名家の家臣であったり、また薩長軍を敵にまわした藩の藩士であったりした。擾乱を生き抜いたかれらは、新時代の新しい知識の担い手として日本の近代化に貢献した。とはいえ、幕府瓦解をその目で見たという体験は、かれらの生涯において、また業績において、それぞれに大きな意味をもっていただろう。

『学海日録』は、情報の最前線にいた留守居役の生々しい日々の記録である。そこから読み解ける明治の一知識人のかくされた青春を描いてみる、それが本書（『最後の江戸留守居役』）で実現したいと願ったことである。

附　新潮文庫収録にあたって

本書（『幕末インテリジェンス』）は、わたしの最初の著作『最後の江戸留守居役』の改訂版である。緒言を書き換えたほかは、第一章以下、元版の息づかいを損なわないよう、表記など最小限の手入れにとどめた。また、あとがきにおけるわたしの思い違いは訂正しておいた。

わたしの専攻は、当時、依田学海とはリンクしていなかった。学海日録研究会の代表、今井源衛先生がみずからの専攻とは無縁の学海にとりつかれたように、わたしもこの研究会にかかわってから学海と縁をもったのである。そして、日記の判読作業で、わたしはつねに今井先生を意識していた。東京チームのキャップ松崎仁氏が今井先生と親友であることをよく知っていたからである。『最後の江戸留守居役』執筆のときも、わたしは、先生が腹を抱えて読んでいるところを想像しながら筆をすすめた。先生からいただだいた手紙は、四分の一ほど、留守居組合のドタバタ騒ぎの一幕までいっきに読んで、ちょっと一息というときに書かれたものであった。

この研究会で、わたしは多くの収穫を手にしたのであるが、そのなかで、研究者としてかけがえのない財産になったものについて述べておきたい。

それは、知識は想像力を鍛え、想像力は知識をひろげる、そういった知識と想像力なしには学問は成り立たない、という事実を、肌で知ったことであった。そして、基礎的な学問ほどそれが大事だということも。

わたしたちのやっていたのは、学海の書いた文字を判読することであった。こういったことは、ともすれば知識や想像力を必要としない仕事、いやむしろそれらが邪魔をする、と見なされやすい。古文書や古記録の崩し字を職人肌の専門家が、現代の活字体の文字に移してゆく機械的な作業であって、余計な知識は先入観となり、余計な想像力は予断となる、と。たしかにそれも言えてはいる。だが、先入観にもならない知識、予断にもならない想像力から何が生まれるだろうか。そして、その先入観や予断を排除してくれるのも、じつは知識と想像力しかない。それを、わたしはこの研究会で知った。

『学海日録』の字が読めるか読めないかは、いつに、知識があるかないか、その知識に裏打ちされた想像力があるかないかにかかっており、松崎家の書斎でくりひろげられる解読作業は、ある意味、そこに参加するものたちの競争の場でもあった。

ひとつの文字を全員があぁでもないこうでもないと議論して、頭を冷やしにトイレに行ってかえってきたひとりが、「ペンディングにしませんか」と言い、寝そべって写真を眺める。「あっ」と声を発して、起き上がり、草書字典をめくり、口元を自然にほころばせながら、漢和辞典で確認する。「はい、読めました」と言って、わざと勿体ぶって解答案をだす。これで六人全員が納得したときの、この達成感と爽快感。

わたしたちは、まさに「学」の「海」のなかで、知識と想像力を振り絞って格闘していたのだ。忘れられた明治の文人、依田学海の名がいささかなりとも現代人の目にとまることを望んでやまない。そして、薩長でもない徳川でもない、しかしおなじ時代のおなじ高波をかぶった幕末維新史もあったのだ、ということを知ってもらいたい。あわせて、『学海日録』の面白さも、その幾分かでも伝えることができれば、それにかかわったものとして、これにすぎた喜びはない。

〔覚書〕初出は『最後の江戸留守居役』（ちくま新書、一九九六年）のあとがき。その改訂版『幕末インテリジェンス』（新潮文庫、二〇〇七年）のあとがきを付した。敬称は初出のままにしておいた。

非の打ち所のない先行研究の功罪

厳密な分類の索引は必要か

自著の書名索引を作っていて、「はて、この「書名」って何だろう」と考えることがしばしばある。

書物につけられた名前のことだろうから、厳密にいえば、国文関連の論文で使われる「源氏物語」や「好色一代男」や「我輩は猫である」などの大半は、書名ではない。あれは作品名だ。短篇集の表紙にあるのは書名といえるが、目次にあるタイトルは書名じゃない。「四谷怪談（よつやかいだん）」を書名とするなら、それは台本のことしか指さないだろう。舞台で演じられた「四谷怪談」は書名じゃない。謡（うたい）の曲名は書名だろうか。

こういう原理主義への冷静で常識的な対応は、――屁理屈をこねるな。それらをひっくるめて「書名」（または「作品名」）と呼ぶのだ、そういう約束事が暗黙裏にあることぐらい、専門家なら理解しろ。専門外には、書名だろうが作品名だろうが、どうでもいいこと（混在混同しても害を感じないという意味）。索引で肝腎なのは利便性実用性機能性で、原理原則にこだわって、ことの大事を犠牲にするのは愚の骨頂、本末転倒。似た概念、まぎらわしい概念はひとくくりにしたほうがわかりやすく、効率的なのである。

むかし『学海日録』（岩波書店、一九九〇～九三年）の索引を作るとき、索引委員会では当初、分類索引のことしかみんなの頭になかった。人名（実在・架空に分けて）・書名（作品名）・歌舞伎外題・地名・藩名・官庁名・建築名・職名・事件名等々、考えられる限りの分類目を出しているうち、日清戦争で出動した戦艦の名前はどこに入れるか？　などという課題をもちだしたものがいて、これは作るほうも大変だが、使うほうはもっと大変だということになって、その場で分類索引をやめた。

国語辞典や百科事典が、アからンまで分類されていない、このことのありがたさに、われわれはもっと自覚的であるべきだろう。

学際の境界は厳密であるべし

大学の文学部のシラバスで、日本書誌学と銘打った講義や演習を閲読していて、「これは書誌学の授業ではない」
と思うことがしばしばある。変体仮名などの崩し字の解読に終始している授業についてである。書誌学は書物という「モノ」を対象とする学問である（すくなくとも日本では）。であるならば、右のような授業は、文字を読む練習であって、文学部においては、書物の学ではなく、文献学のための基礎訓練に属するものであろう。学ぶことの性格や意義や内容が異なる。

そもそも文字（草書だろうと楷書だろうと活字だろうと）を読む能力は、国語国文にとって、書誌学よりも必須の科目である。むろん、書物の学にも役立つ。だが、書物そのものの学問ではない。これは拙稿「シーラカンスの年齢」（『注釈・考証・読解の方法』文学通信、二〇一九年、所収）で触れたことでもある。

このふたつは、多くの場合、隣接科学の関係にある。書誌学のための文献学、文献学のための書誌学と、垣根を越えて風通しよく行き来できることが望ましい。だからといって、索引の場合のように一緒にしていいかというと、そうではないだろう。隣接するものどうしは隣人であることをつよく意識して、そこに境界があることをけっして忘れてはいけない（のではないか）、とわたしは言いたい。

作品を語るだけなら、また書物を語るだけなら、この垣根を意識する必要はない。垣根があるという事実も無視していいし、垣根なんて知らなくても問題ない。だが、その境界をまたぐ専門家は、境界をまたいでいるがゆえに、またいでいるという感覚を持ち、その境界線がしっかり見えていて、境界線のあっちとこっちの景色を識別できる能力を持たなければならない（だろう）。

書物と作品を一緒にするのは、索引なら、効率的で実用的で現実的である。日常生活でも区別しない。だが、書誌学あるいは文献学では、ふたつ一緒にはできない。「書名」と「作品名」は違うだろう。文学史辞典の「万葉集」と蔵書目録の「万葉集」、このふたつの万葉集は違うだろう。

蔵書目録は大雑把（おおざっぱ）であれ

「理想の蔵書目録は？」と問われて、中村幸彦（なかむらゆきひこ）先生は「帝国図書館蔵書目録」と答えられたという。一方、国会図書館の目録は感心しませんネエ、と演習だったか講義だったかでうかがったのを憶えている。

ふたつの蔵書目録の大きな違いは、前者が書目の五十音順配列、後者が行き届いた分類目録ということ。帝国図書館のものは一書目につき二行以内の情報、それに対して国会図書館目録の書誌情報は詳細、という違いもあった。

中村先生ご推奨の理由はまさにそこ、分類がなされておらず、情報量が極端に少ないところにあった。先生は、

「図書館の目録は、書名と冊数と請求記号さえあれば十分です」とおっしゃった。

「分類は十人十色。内容は、出てきたものを見ればわかること。そのための蔵書目録ですから」中野三敏先生も、自身が帝国図書館目録の愛読者であることをしばしば語られた。わたしの印象に残っている先生の手柄譚。

国会図書館に「万象随筆」という書名の本がある。明治期に受け入れたもので、当然、帝国図書館目録に著録されている。書誌情報は「森島中良著、写本（自筆）」とあるのみだが、蘭学者森島中良（一七五六〜一八一〇）の戯作号が「万象亭」だから、これだけなら、何の不自然もない。

ところが、万象亭森島中良の著作に「万象随筆」があったことを、近世文学研究者のだれも知らなかった。中野先生が退屈しのぎに帝国図書館目録を読むまでは。

「万象」といえば「森羅万象」、この四字熟語の正しい読みはシンラバンショウである。であるから、普通の人なら、この随筆を正しく「バンショウズイヒツ」と読む。帝国図書館目録にも、「バ」の箇所に正しく収まっている。

ただし、江戸文学に詳しいと自負するなら、この戯作者の名をバンショウテイと正しく読む人は、まずだれもいない。三田村鳶魚をミタムラトビウオと読み、山田孝雄をヤマダタカオと読んで許されるのは、国語国文学者を名乗らないときだけである。

これはマンゾウテイ。それが常識になっている専門家は、だから、マンゾウテイの著作を捜すのに、「バ」のところは見ない。

権威ある図書館の蔵書であり、ちゃんと目録にも登載されたのに、長いあいだ万象亭の著作から漏れていた。それは、みんな蔵書目録を検索の道具に使っていたからである。蔵書目録を読む変わった趣味の研究者だからこその新発見であった。

このエピソードを中野先生は、しかし、帝国図書館目録の杜撰(ずさん)さを論(あげつら)うために語ったのではなかった。蔵書目録かくあるべし、という逆説(パラドクス)を込めたのである。

そもそも本好きは、整然と整理されたコレクションに興味を示さない。整理されていない山に足を踏み入れるのが楽しいのである。数百年のあいだだれも触れていない本に出会うことで高揚する。整理されていても、されかたが不正確であること、大雑把であることを期待する。行き届いた分類や正確無比な情報は、本好きの愉悦を邪魔するだけ、楽しみを奪うな。というのが稀代の本好きの中野先生の本音なのだと、わたしは勝手に推測する。

いや、これは本好き云々に限らない。「本好き」を「研究」と置き換えても、話は通じる。先行研究は杜撰であってくれたほうが、研究意欲をそそる。ちょっとつつけば、新発見にぶつかる。反対に、非のうちどころのない研究は、後進のモチベーションをいちじるしく削(そ)ぐ。国文学では、名著が出たあと、その分野の研究はしばらく停滞するのが普通である。これはけっして不健全な現象ではない。

とくに蔵書目録などは、どんなに完璧に詳細に作ったところで、現物に行き着くための道具にすぎない。中村先生がおっしゃるように、現物が出てくれば、蔵書目録で知った情報は無用になる。場合によっては、閲覧者に余計な予断を刷り込む。だから、請求記号さえ間違っていなければいいのである。いや、それさえ間違っていることで、とんでもない発見に出会わないとも限らない。

ならば、いっそのこと、荒っぽいほうが、あちこちに穴のあったほうが、大雑把であったほうが、間違いも大いにあってくれたほうが、労少なく功多きことばかり考えている怠惰な研究者のわたしなどには論文ネタに尽きない、蔵書目録冥利には尽きる。と言ったら、お叱りをうけるだろうか。

「帝国図書館蔵書目録」の使い勝手

想像だが、中野先生が「帝国図書館目録」を愛読するようになったのは、これがはなはだ機能性に欠ける蔵書目録だったからではないか、と思う。

機能性に欠ける蔵書目録とは、すなわち検索に手間がかかるということである。天下の帝国図書館の目録、しかも五十音順配列で検索に手間がかかるなどというと、奇異に感じる向きがあるかもしれない。が、古典籍資料室がなかった国会図書館で和本を閲覧していた世代、コンピュータ検索など思いもよらなかった世代なら、懐かしく想い出すだろう。帝国図書館の目録は、頻繁に出掛けて行って慣れないと使いこなせないものだった。

たとえば、『広益俗説弁』の版本を閲覧するために出掛けたとする。

貴重書以外の和本（すなわち大半の和本）は、中央出納台で出し入れされた。普通の洋装本・雑誌などと一緒に請求し、一緒にカウンターで受け取る。閲覧者にとってすこぶるハードルが低いのだが、その分、資料を請求するまでが結構大変である。

目録コーナーに立てかけてある「帝国図書館和漢図書書名目録」（第一〜七編）、「帝国図書館和漢図書分類目録」（五冊？）、「帝国図書館和漢書件名目録」、「帝国図書館・国立国会図書館和漢図書分類目録」など、これら一冊一冊をめくって「広益俗説弁」を捜す。さらに上野図書館（二冊）・亀田文庫・冑山文庫・白井文庫などの冊子目録も、「広益俗説弁」が出てくるまで引きつづけなければならない。

検索に手間がかかる因は、累積版になっていないこと、それは時代を考えれば無理もないが、編纂基準ぐらい統一しておいてくれと文句を言いたくなる。最悪なのは、資料の読みが歴史的仮名遣いになっていること。カウ？　カフ？　クワウ？　それともコウ？　カード目録でしか捜せない和本もあり、ただしカード目録はごく特定の期間の受け入れ分しかカバーしていない（顎軒文庫など）。

これで終わりではない。国会図書館時代になって整理された和本（弥富破摩雄旧蔵本など）は、大量の洋装本に紛れ込んで国会図書館目録に収まっている。結局、最新の冊子目録にも目をとおさなければならない。これだけ捜して「広益俗説弁」に遭遇しなければ、この図書館に版本『広益俗説弁』はない、ということになる。仄聞するところでは、それでも完璧に捜し尽したわけではないという。

わたしが国会図書館を利用しはじめたときは、すでに国書総目録があったので、あるかないかは、あらかじめ知って出掛けることができた。それでも、資料請求までは右のような手順を踏まなければならなかった。付けたりでいえば、国書総目録で「ない」ことになっている資料も、じつは「ある」ことがある。なぜなら、国書総目録には、原則として（あくまでも原則）、戦後受け入れのものは反映されていないからである。また採録漏れも多いからである。

帝国図書館時代を含めた国会図書館の目録の使い勝手の悪さは、蔵書数が日本一だけに、日本随一、世界有数であった。中野先生は、そんな不便さを逆手にとった楽しみ方を見つけたのだ。

『新編帝国図書館和古書目録』余談

古典籍資料室で思い出したことがある。

この部屋が作られる前、『新編帝国図書館和古書目録』全三冊が刊行された（東京堂出版、一九八五年）。先にあげた帝国図書館の各種冊子目録から「和古書」だけを抜き出して、それを五十音順に並べたものである。和古書の定義がいささか不透明だが、使い勝手のわるさを解消させる、国文学者にとっては待望の、画期的な、国書（和本）専用の蔵書目録であった。あたかも古典籍資料室開設のために準備されたかのようだった。

ところが、新設された当初のこの部屋には、既存の目録類は備えられていたが、便利きわまりない新版目録だけは置かれていなかった。それどころか、カウンターでこの目録のことを口にすると、係員からあからさまに嫌な顔をされた。というのは、国会図書館が作ったものではなかったからである。編者は東京堂出版編集部になっており、どこにも国会図書館の文字がない。そのころ、館員がこれを話題にするのは、国会図書館の沽券にかかわったのである。

いまでは古典籍室に置いてある。ほとんど毎ページに、これ見よがしに朱の訂正がほどこされて、いかに大雑把であったかが暴露される。そして、今後も朱入れが続いていくだろう。ということはいつまでも生命力を失わない、入室者専用の、知的好奇心をそそる、貴重な冊子目録となっている。

大雑把な先行研究に導かれて

朝倉無声の小説年表（新修版、大正十五年）、その浮世草子の部に『新古事談』『新続古事談』という作品がある。作者は井沢蟠龍、刊行はともに元文二年（一七三七）となっている。以来、この二作は、蟠龍にしては珍しい浮世草子作品と見なされていた。だが、この二作は、中世から近世初期にかけての軍記や説話集や地誌などを抜粋した読み物であった。浮世草子とは非なるもの（似てさえいない）。分類されるなら説話集、あるいは時代遅れの仮名草子といったところである。なのに、ずっと朝倉の分類に反省がなかった。

国書総目録著者別索引に、蟠龍の著作として「犬著聞旧記」なる書が登録される。だが、このような作品は存在しない。伝存未詳なのではない、確実にはじめから存在しなかった。『群書備考』が「犬著聞（椋梨一雪著）、旧説拾遺物語（蟠龍著）」の「説」を「記」と読み間違い、書名の区切りを誤った、そこからこの架空の蟠龍著作ができて、こんにちに至っているのである。『新古事談』『新続古事談』も『犬著聞旧記』も、文学史においてはもちろんのこと、蟠龍著作としても、まったく相手にされてこなかった。中世説話の焼き直しと実在しなかった作品なのだから、当然といえば当然。だが、蟠龍に関するわたしの著作や論文は、この大雑把で頼りない先行研究を穿鑿したことから始まった（一九八五年度日本近世文学会口頭発表「井沢蟠龍著述考」）。

「先行研究」にまつわる誤解

先行研究といえば、卒論指導での失敗譚――。

研究の世界をほとんど知らない学生のために、まず先行研究を調べさせるのは有効である。文献目録を作らせ、必要なものは手をつくして入手させる。真面目な学生もそうでないのも、それなりに研究の世界を、それで知ってゆく。

六十を越えて四半世紀ぶりに卒論生を持ったわたしも、この定石を実行した。

が、これには問題があった。学生のほとんどが、先行文献の調査とそれを読むことに終始してしまうのである。肝腎の研究対象の分析に手がまわらない。先行研究が分厚い課題だと、荷が重すぎるかなと感じることもあった。論文を読みすぎて、そのため自分のテーマがきめられなくなる真面目な学生もいた。思考が先行研究の外（そと）に一歩も出られない。なかには、先行研究をなぞってまとめることが客観性のある論文だと思い込んでいる学生もいる。みんな先行研究にとらわれすぎる。

そこでわたしは、ある年、こんなことを言った。

「初めに先行論文を読むな。まず作品を読め。作品を読んで、テーマ、観点を自分で見つけて、自分なりに分析する。その分析を、自分の筆と頭脳で文章にしてみる。そうすれば、参照すべき先行研究が何かは見えてくる。先行論文を読むのはそれからでも遅くはない」

一年後、その結末は――、

自分なりの分析はできたが、先行文献の調査に時間がとれなかったと不満を漏らした学生がいた。が、そう言うだけあって、論文は個性的で着想が面白かった。論証も稚拙ながら手堅かった。へたに先行研究に染まらないところもいい。

「十分、きみの研究になっている。これなら、先行研究なんて気にしなくていい」

今後、研究の道に進んで論文を書くようになれば、先行研究の意味もおのずとわかるであろう、そんなことを予感させた。

「で、卒業後は？」

「佐賀県の教職に受かりました」

「教師になっても、研究はつづける？」

「いえ」

「それは残念」

これは、しかし、わたしの試みがみごとに成功した例である。つぎが失敗した話。

口頭試問で、学生は開口一番、神妙にこう言った。

「先生に謝らなければなりません。教えに背きました」

その学生は、論文執筆の過程で、自分のテーマにぴったり一致しそうな先行論文のあることを知り、それを読みたくなった。だが、わたしの指導があるから、それができなかったという（ン？）。しかし誘惑には勝てず、こっそり国会図書館に手配して論文のコピーを入手した（オー、やるではないか）。

その論文筆者はわたしも名前を知る研究者だった。

「わたしの考察は間違っていました」

学生はそう言って、論証を軌道修正して、その高名な研究者の結論に一致させました、と正直に報告した。

「答え合わせをすることではないんだよ。取り寄せたコピーが模範解答というわけじゃないし」

「…………？」

「それに、きみの論文は、そのことに一言も触れてないじゃないか」

「先生が先行論文を読んではいけないとおっしゃったので」（そんなこと言ってない！）

〈覚書〉『雅俗』十九号（雅俗の会、二〇二〇年七月）初出。

第Ⅲ部　国文学ひとりごと

作者は本当のことを書かない

国語教科書の注釈

「こんな注釈、必要なんですかねえ」

審議委員のひとりがぽつりと言った。

場所は文部科学省の一室、教科用図書審議会第一部会（国語科）でのひとこまである。審議されているのは、某社が申請した高校国語現代文の原稿本であった。

この審議委員の言った「こんな注釈」とは、藤沢周平（ふじさわしゅうへい）の小説の本文に付された脚注を指していた。「海坂藩」という語に注して「架空の藩名」とあるそれを言っていた。

ファンなら周知であるが、藤沢周平の小説は、かれの出身地の旧藩、東北庄内（しょうない）藩とその藩士たちを描く。ただし、実在の藩名は使わず、小説では一貫して「海坂（うなさか）藩」と呼ばれる。海坂藩なる藩名は、歴史上、存在しなかった。それをもって、この教科書の著者たちは、「架空」と注したのである。

たしかに架空であって、この注釈は、だから、間違ってはいない。間違っていないものには検定意見を付さないのが教科書検定のスタンスであるから、この脚注は検定済教科書に残って教室で使われているはずである。

一般の読者のために補足説明すれば、教科書検定は、民間の教科書会社が教科書原稿を文部科学省に申請するところから始まる。申請された原稿（といっても、印刷されたもの）を「申請本」という。申請本を教科書調査官が細かく読んで、指導要領に抵触していないかどうか、誤った記述があるかどうか、といったことをチェックし、意見を付して教科書会社に修正を求める。

意見はまず、国語科調査官全員（五人）の合意のもとに形成される。であるから、国語科会議を開いて調整がおこなわれる。ここで調整された意見を「調査意見」という。

この調査意見が教科書審議会（国語部会）にかけられて審議される。審議委員は、国語学・国文学・漢文学の専門家のほか、作家・評論家・現役教師などによって構成される（十人前後）。ここで審議された結果が「検定意見」となって、文部科学大臣の名前で教科書会社に通達される。会社はその意見に従って修正案を文科省に提出、調査官との折衝（せっしょう）を経て、検定決定（合格あるいは不合格）に至る。

当たり前の事実に注釈は必要か

「こんな注釈云々」の話に戻れば、――

この発言の意図は、どこにあったか。ふたつのことが考えられる。

ひとつは、海坂藩が実在するかどうかは、作品を読み進める上でさして重要ではない、ということ。ネーミングが作品読解の重要な鍵になるというならともかく、おなじ藩名をすべての自作で使用する藤沢作品において、「海坂藩」はいかにも実在しそうな名称という以上の意味をもたない。もっとも、作品読解に重要かどうかはそれを穿鑿してみなければわからないのだから、注釈を試みる意味はあるだろう。教室での読み解きのキャパシティーを考慮しないならば。

もうひとつの意図は、このような当たり前の説明は無用、ということ。小説は虚構であるのだから、実在する固有名詞に注釈は必要であっても、架空の名前に「架空である」という断りはいらないだろう。「舞姫」の主人公のドイツでの行動を作者の伝記と照らし合わせて、「だから鷗外の作り話だ」というのとおなじぐらい間が抜けている。小説とは作り話のことなのに。

作者は嘘をつかないという幻想

ところで、「こんな注釈」がさしたる違和感なく教科書に横行するその背景には、文学に対する幻想があるような気がしてならない。さらにその幻想を補強してきた実証的文学研究があるような気がするのだ。

作品は作者の分身であるという、文学青年が抱きがちな幻想は、作品と作者とを切り離せなくさせる。作者の顔を知れば知るほど、作者がかたる嘘を見抜けなくさせるのである。その好例を、わたしは若山牧水（わかやまぼくすい）短歌の読解に見た（『古語と現代語のあいだ』NHK出版新書、二〇一三年、参照）。

牧水の歌集「別離」は、ひとりの男の恋の軌跡が時間軸に沿って展開されている、そのように創作されている。この男に具体的な名前は与えられておらず、創作の時点で作者の手元にあった短歌作品を、作者の観念のなかで展開されるストーリーに貼り付けていった。貼り付けるに適切な歌がないときは、新たにその場で創作した。したがって、「歌の配列は歌のできた順序に従った」という序文の言も創作であり、個々の短歌が実際に作られた順に並んでいるわけではない。実際の制作順に並んでいないことが作者牧水の作為であったのに、研究者はそれを不審だと言い、愛する牧水に不満を鳴らしてきた。

作者は嘘をつかない、という無邪気な信頼が文学の読みを狂わせるのである。

作者は本当のことを言わない。嘘をつく。これは紛（まぎ）れもない事実であって、そのことをいちばんよく知っているのは、ほかならぬ作者である。歌集としてまとめられた形が作品であるとするなら、作品の文脈のみが作品であって、作者の実像の文脈は作品と無関係である。

であるから、作品の舞台となる土地や登場人物にモデルがあったとき、そういった人物（地名）

が「実在する」という注釈は読解上ありえても、「海坂藩は実在しない」という注釈は、虚構であることをもって初めて成り立つ小説に、「事実と違う」と文句を言っていることになり、まったく意味をなさない。

韃靼海峡を渡ったてふてふ

かつて中学校の教材に採用されて注目された作品に、安西冬衛の詩、

　てふてふが一匹韃靼海峡を渡って行った

がある。その授業実践例のブログがある。* この実践者は小学三年生に適用する。だが、その読み解きにはすこぶる疑問を感じざるをえない。

小学生にはいささか重荷なこの前衛詩を、まず漢字の読み方を類推させたり、「てふてふ」や「海峡」をどこから見ているか、それを絵にかかせたり、「行った」という表現から作者の位置を想像させたり。

児童のこの作品の読み取りは、題が「春」ということもあり、「てふてふ」ののどかなイメージも手伝って、惣じて明るい方向に支配されていた。幸せを感じるという児童も数人いた。

だが、最後に教師が言う。

「この詩を作った作者、安西冬衛さんは、軍艦の上でこの詩を作ったといわれています。つまり、戦争の時代です。右足を病気で切断し、片足でその時代を生きた人です。北海道のもっと北、寒い寒い凍えるほどの冷たい樺太（からふと）というところに行き、軍隊の船つまり軍艦の上で、自分の国日本を思い浮かべながら作ったのです」と。

この詩のどこに「軍艦」が描かれているのだ。「戦争の時代」というのがどこから読み取れるのだ。初出誌にはその旨の記述があるが、以後はそれが削られた。削った形が教室で読まれている作品である。

「片足でその時代を生きた人」だなんて、そんな予備知識がこの詩の読者に必要なのか。北海道のもっと北というのは、「韃靼海峡」で読み取れるかもしれない。だが、「軍艦の上で、自分の国日本を思い浮かべながら作った」のが事実だとしても、それが作者と無縁な読者、表現された言葉しか読むすべのない読者にとって、意味のある情報なのか。

＊ http://www2.ocn.ne.jp/~boss/kokugo2/sibun/fuyue.htm

〔覚書〕『日本文学』六十三巻一号（日本文学協会、二〇一四年一月）所収「検定教科書定番教材三題」の一部。

二人のタケウチ氏をめぐる因縁譚

四国の厳しい一読者

平成二年から五年にかけて、共同研究で『学海日録』という資料を編集刊行した。幕末・明治の漢学者、依田学海の浩瀚な日記である。索引別巻もあわせれば、全十二冊になる。

これには、その第一回配本当初から、ひとりの熱心な、というより峻厳な読者がいた。その人は、毎巻発行後ほとんど日をおかず、わたしたちの漢詩漢文の訓みの間違いを、じつに詳細に指摘して、編集総括をつとめる九州の今井源衛先生に送ってきていた。その人の名はわたしたちには伏せられていたが、四国の一読者からきわめて手きびしい批判があるので気をひきしめるように、という通達が今井先生よりあった。

もうひとり、わたしたちの心胆を寒からしめた存在がある。名にしおう、あの岩波書店の校正である。ゲラに鉛筆で書き込まれた疑問の、ひかえめなのは名ばかり、その大半はわたしたちの原本の読みの甘さを衝（つ）いてくるものであった。出版社の校正係と著者とは顔をあわせる機会のないのが普通だが、索引の校正段階になって、ゲラ上でのやりとりの面倒を避けて、わたしは直接、当の校正者石井吉男氏と机を並べて仕事をした。そこで知って驚いたのは、石井氏がずっと日録の原本とつきあわせながら、つまり、研究者を名乗るわたしたちと同様の、いやそれ以上の作業をしていたということであった。

二人のタケウチ氏

ところで、維新前夜の慶応二年から三年にかけて、佐倉（さくら）藩の江戸留守居役（るすいやく）にあった学海は、紀州藩邸内にあった「新聞会（しんぶんかい）」というところに頻繁に出掛けていた。新聞会は、江戸の佐幕派情報機関のひとつであって、紀州藩士武内孫介（たけうちまごすけ）が主宰していた。学海はこの武内と維新以後も交際をもつのだが、日記中でかれのことを、「学問なしといえども、一奇士たるを失わず」と言う。剛直の人である学海にとって好もしい人物であったようだが、この武内を、学海が「学問なし」と言っているのは不審であった。というのは、学海がいうほどにも、この武内に学問がないとは思えなかったからである。

日記によれば、かれは漢詩文の雅会も主宰していた。この雅会での成果が漢詩文集『嚶鳴集（おうめいしゅう）』

であった。全九編十冊におよぶ。収録される作者は、当時の漢詩文壇の錚々たる顔ぶれで、武内はこれら名だたる文学者たちを統率していた。そのなかには学海も含まれる。その武内を「学問なし」とは、いささか厳しすぎる。

少ない資料から知られることは、右の不審をはらすには十分でなく、むしろその履歴を錯綜させた。そこで左の伝記を作成、これを平成三年の年賀状に刷って、教えをひろく求めた。

> 竹内楊園　姓あるいは武内に作る。正しくはタケノウチと読むか。名、采素・安素・素・窩。字、子行。号、楊園のほかに臥雲楼・扇和書屋。通称、孫介・半介・藤介・行介。出自は下野か。江戸で丹南藩に仕え、のち紀州藩士、また西条藩士とも。藤森天山門か。幕末に新聞会を主宰。明治四年『新聞輯録』創刊。明治二十三年没か（一説、明治元年没）。『嚶鳴集』『今世名家詩選』『東毛復讐始末』等の著編書あり。挿絵画家武内桂舟の父ともいう。

没年の異説のはなはだしく離れているのがもっとも不審で、学海は、明治元年十一月二十五日に、罪に連座して斬首されたと日記に書きながら、それ以後も親しく交わっており、明治二十三年ふたたびその死亡記事を書している。

結局、高校の同級生だった山内譲くんのもたらした書信によって、詩人のタケウチ楊園と新聞会のタケウチ孫介は別人、ということでけりがついた。山内くんは、右の年賀状を、わたしには未知の郷土史家、石丸和雄氏に見せた。石丸氏は、わたしの作った竹内楊園伝を一見して、二人の人物の伝が混淆（こんこう）していることを指摘。二、三の資料と『伊予史談（いよしだん）』掲載の真説竹内楊園伝のコピーを、山内くんを通じて送ってくださった。

奇（く）しき縁

この石丸氏がだれあろう、四国のあの一読者である、ということはずっとあと、『学海日録』完結後に知った。そして、わたしたちに辛辣（しんらつ）な疑問を投げてくる岩波の石井氏が、じつは石丸氏と年来の友人であったということも、偶然まったく別の機会に知った。

さらに、詩人竹内楊園の著作に、『西省集（さいせいしゅう）』と題する一冊の漢文紀行がある。江戸から国元伊予西条（さいじょう）への旅の記であるが、楊園が目指す西条の陣屋（じんや）、大手門やお堀や矢来（やらい）を残すその跡地に建つのは、わたしと山内くんのかつての学び舎（や）、県立西条高校である。

縁の奇（く）しきことに思いをいたしていて、迂闊（うかつ）にもいまになって気づいたことがある。学海先生が明治十四年に文部省内で配属された編輯局の仕事は、幾多の機構改革・制度改正をへて現在の教科書検定に生きながらえて……、なんだ、そこに自分が座っているではないか。

〔覚書〕『ちくま』三百六号（筑摩書房、一九九六年九月）初出。同年七月に出した『最後の江戸留守居役』（ちくま新書）のＰＲ。

資料を読み解く面白さ

江戸藩邸とは

　ここでお話しさせていただくきっかけになりましたのは、もう六年前になりますか、ちくま新書から出しました『最後の江戸留守居役』（一九九六年）という本であります。この会（印旛市郡医師会）の会長さんがこれを読んでくださっていて、佐倉（さくら）や印旛（いんば）に関することが書かれてあるので、ひとつ何かためになる話でも、というのでわたしにご指名が来たということでございます。もっとも、ためになる話といわれましても、わたしは文学部の出身で、国文学や歴史という、あまり社会のためになるような学問をいたしておりません。ですから、きょうの話も、それを知ったからといって、あしたからの生活の役に立つというものでもないということを、あらかじめお断り申しておきます。きれいさっぱり忘れていただいても困ることはありませんので、気楽にお付き合いください。

この『最後の江戸留守居役』という本は、幕末に佐倉藩の江戸留守居役であった依田学海（よだがくかい）という人物が残した日記をもとにして、佐倉藩の幕末維新史の一端、教科書的歴史の裏側を描こうとしたものであります。本日は、このなかから二、三のエピソードを拾い出しまして、記録や文書を読み解いて歴史を語ったり読んだりすることの面白さ楽しさ、あるいは難しさをお話ししてみたいと思います。

具体的な話に入ります前に、基本的なことを申し上げておきます。そのくらいのことなら知っているというかたには失礼かもしれませんが、きょうの話の前提としてどうしても必要と思われますので、ご容赦願います。

江戸時代には、参勤交代といって、日本全土の大名は、定期的に江戸と領国とを行ったり来たりすることが強制されておりました。そこで、大名が江戸滞在中に屋敷が必要となるのですが、その屋敷が江戸城のまわりに、幕府から大名家に貸し与えられます。それを普通、「江戸屋敷」または「江戸藩邸」といいます。

といいますと、この江戸藩邸は、殿様の江戸滞在中の単なる宿泊施設というふうにも聞こえますが、じつはそんなものではありません。この江戸藩邸というのは、大名家にとってきわめて重要な位置をしめております。藩の政治的な機能からいえば、領国、これをふつう「国元」といいますが、その国元よりも、江戸藩邸のほうが政治的機能は高かったといえます。なぜなら、江戸には、幕府が存在する。しかも、日本全土の大名が集まるところであります。ですから、幕府とのもろもろのかかわりはもちろんのこと、大名家どうしの外交や付き合いや行事なども、江戸藩邸が窓口になり、また江戸藩邸で決定されるということが多かったのであります。

したがって、殿様が国元にいて江戸を留守にしているときも、江戸藩邸では、大名家としての政治的機能ははたらいていた。だから、当然、そのために勤務する藩士も多くいたのです。なかには、江戸藩邸で現地採用されて、国元とは縁もゆかりもない藩士もいます。有名な例としては、渡辺崋山がいます。この人は三河国田原藩（現、愛知県田原市）の藩士ですが、江戸で生まれ、江戸で育ち、江戸藩邸の家老を務めました。安政の大獄（一八五八～五九年）で罪を得て国元蟄居を命じられて、そのとき初めて田原に赴きます。また、鷗外の史伝「澁江抽斎」の主人公は、生まれも育ちも神田、ちゃきちゃきの江戸っ子の弘前藩士で、中年のころ国元勤務を経験しますが、はやく江戸に帰りたいと言ってクサッているさまを、鷗外は描いております。

本日の主人公である依田学海も、その部類らしく、菩提寺は佐倉ではなく、江戸の浅草にありました。

歴史資料としての手紙と日記

この学海は、その江戸藩邸で「留守居役」という役職につくわけです。留守居という役職の解説をしていますと、時間がいくらあっても足りませんし、きょうはそちらのほうに話をもってゆきませんので、一言でいいますと、大名家の渉外担当掛（外交官）と考えればいいと思います。幕府や他の藩とのさまざまの交渉や折衝（せっしょう）や根回し、情報の収集などを専門にする実務役人、といったところです。

その留守居役人であった学海が記した日記を読んでゆくのですが、本日ここでは、日記を読み解くことの難しさ、または注意すべき点について考えてみたいと思います。もっとも、その難しさは、裏をかえせば、歴史資料を読むことの楽しさ面白さにも通じるところであります。

歴史を研究するためのもっとも基礎的で重要な資料は、文書（もんじょ）と記録であります。文書の代表は書簡つまり手紙の類であり、記録の代表は日記になるかと思います。手紙と日記は、それが公的なものであれ私的なものであれ、歴史研究には絶対に不可欠なものです。しかし、では、手紙と日記がすべての歴史事実を語っているかというと、じつはそうではありません。手紙であるがゆえに書かない、また、日記であるがゆえに書かないことがあります。それは、意図的に書かないということもありますが、まったく意図せずに書かないことがある。逆説的な言い方になりますが、大事なことが書かれていないということが、意図的でないということの証明になる、そういったことが手紙や日記には、往々にしてあります。

それはどういうことか。たとえば、手紙でいえば、当事者たちが目と鼻のさきにいる場合は、普通、用件は直接会って話してすませます。それでことがすめば、その用件にかかわる事柄は、手紙という資料としてのこりません。手紙とは、当事者どうしが簡単には会えない距離にいる場合に交わされるものですから、手紙のやりとりがあったかなかったかでもって歴史資料の優劣の客観的ものさしにはならないのです。また、手紙は当事者どうしの意志の疎通さえできればいいのですから、当人どうしにとって自明のこと、わかりきったことについては、いちいち説明したりしません。つまり、第三者には何のことかわからない記事もあるわけです。「例の一件は解決しました」と書いてそれでおたがい話が通じるなら、その「例の一件」が何であるかということをわざわざ手紙には書きません。わざと書かないのではなくて、書く必要がないのです。しかし、第三者には、何のことかわからない。ましてや、研究者はそこから時代の隔(へだ)たったアカの他人なのですから、手紙のあちこちに意味不明の記述があっても、不思議ではないのであります。

日記の場合も同様のことが言えます。日記は記録の一種ですが、しかし、建前として、他人は読まない。そうでないのもありますが、それは日記としては特殊なケースであって、書いた本人しか読者のいないのが日記であります。それを後世の歴史家が研究資料として使うわけですが、他人に読ませるために書かれているのではないのですから、他人にわかるように書かれているとは限りません。また、後世の研究者が知りたいと思う事実が、書かれないこともある。それは、別に、わざと書かなかったのではなくて、書き忘れたとか、書く必要がないと判断したとか、あるいは書くまでもないと思ったとかして、書かなかったことのほうが多いのです。事件が多く起こって忙しかった日は、それだけ日記を書く時間がありませんから、日記の記事は少なくなるなんていう現象もありえますし、またその反対、暇な日ほど記事が詳しいなどということもありえます。

手紙や日記は、歴史研究のための基本的な一級資料であることは厳然たる事実でありますが、それだけで歴史が解明されるわけではないというのも事実なのであります。

それでは、どうやって、それらの完全とはいえない資料にすがって歴史を解明してゆくかですが、わたしたちはよく「資料の行間を読む」ということを言います。もちろんこれは比喩的表現であって、実際の手紙や日記の行間に文字が書かれているわけではありません。じゃあ、その「行間」とは何かですが、それをどう表現するかは人によって違うと思いますが、わたしはそれをこう言いたいと思います。「自分の持っている知識」「労をいとわず調べる行動力」「そしてそれらを総動員する想像力」、知識と行動力と想像力、これが資料の行間を読むことの意味だと、わたしは思うのです。

この『最後の江戸留守居役』は、先ほど申しましたように、依田学海という佐倉藩の江戸留守居役が書き記した日記をもとに書いたものであります。ですが、この日記も、惣じて、日常が詳しく書かれているわけではありません。非常に簡単に、出来事を心覚えのような、あるいはメモ書きといった感じで記しております。

したがって、この日記を読み解くには、いま申しましたような「行間を読む」作業が必要となります。それでは、資料の行間を読んでどのような歴史のストーリーが浮かびあがってくるのかを、いくつかの例に即して紹介していってみたいと思います。

日記はことの詳細を記述しない

先ほど言いましたように、留守居役は藩の外交官のようなものですから、たとえば幕府から藩になにか用件があれば、まずこの留守居役が幕府に出向いて、その用件を聞いてまいります。慶応三年五月二十一日の日記につぎのような記事があります。

小栗上野介(おぐりこうずけのすけ)殿より参るべきよしにて、御勘定所に至る。印旛沼のことによりてなり。

日記に「印旛沼のこと」が出てくるのは、この日が最初です。小栗上野介というのは、幕府の勘定奉行(かんじょうぶぎょう)でありまして、非常に有能で、幕末維新史における幕府側の有名な人物であります。その勘定奉行から佐倉藩に呼び出しがかかって、留守居役の学海が出向いたということです。その用件は印旛沼(いんば)のことである、と日記に記されております。しかし、これだけしか書かれていません。細かい内容については省略されて、そのつぎの記事は、まったく別件のことであります。

そして、日記には、しばらく印旛沼のことが出てきませんで、翌月の六月七日に、この日もさまざまな記事があって、後ろのほうに付け足しのように、小栗上野介殿より、明日会計所（勘定所）にまかり出づべき由のめし状来たる。

とあって、翌八日に、

下勘定所にいたる。印旛沼のことを催促せらる。


とあって、やはり詳しいことは書いていません。

なぜ学海は詳しい用件を書かなかったのか。それは、書きとめなくてもいいくらい明白なことだったからであります。または、書きとめなくても忘れることはないほど重要なことだったからであります。学海にとっては、七日に勘定所から呼び出しがあって、翌日に出向いたという、その事実だけを記しておけばよかったのであります。

わたしは、一見矛盾していることを言っているようですが、みなさんも日常生活によくあることです。どんなに重要な会議であっても、手帳に記すのは、会議の時刻と場所ぐらいでしょう。内容を書くにしても、せいぜい議題どまりというところ。

しかし、これを資料として読まされるものには、何のことだかさっぱりわかりません。日記には、そのほかにもいろいろな出来事が書かれていますから、うっかりすると、この記事は読み過ございます。

この一件のことが、つぎに日記に出てくるのは、六月の十六日であります。

　午後、下勘定所に出でて、小栗上野介よりの仰せ事をうけ給わる。印旛湖開墾のことしばしば尋ねらるるといえども、今に於て可否の答をきかず。速かに返答せらるべしとあり。両三日を限りて答え申すべきよしいわる。されば、往復六日の暇を給うべきよしを請えり。

午後、勘定所に出向いて、奉行の小栗上野介からつぎのように言われた。「印旛沼開墾のことにつき、しばしば尋ねておるのに、いまだに出来るかどうかの答えがない。すみやかに返答してほしい。両三日のうちに答えてほしい」と言われた。そこで、「往復六日の猶予はほしい」とお願いした。こういう内容で、前の記事よりは詳しくなっておりますが、ではこれで事情が把握され、理解できるかというと、さっぱりわからないというのが正直なところです。

つぎは、二十三日になります。

　此日、下勘定所に至る。印旛湖のことなり。

この日の記事はこれだけです。六日の猶予を申し出たその期限だから、勘定所に出頭したのでしょうが、この日、どういう返事を持っていったかは、学海は記していません。資料を読む立場からすれば、その日の返事の内容が知りたいところですが、日記を書く本人にとっては、それは記録しておかなくてもよかったのです。日記にわざわざ記録しなくとも、学海の記憶にとどめておける。または書類か何かがほかにある、大事なことはそちらをみればいい。その日に勘定所に行ったということをメモしておくことのほうが、この場合には大事だったわけです。

つぎの記事は、翌月の七月十二日です。

印旛沼開墾の事、村民難儀なるよしを申す。このこと然るべからずとありて、小栗上州公の邸に村民を召さるべしと申さる。

印旛沼開墾（かいこん）については、村民が難儀するということを申し上げた。すると、「それはけしからん。小栗上州（上野介）の屋敷に村民を呼び付けるぞ」と言った、というのであります。日記には、これを最後に以後、印旛沼の一件については、出てまいりません。したがって、この日記だけを読んでいたのでは、学海が印旛沼の一件にどういうかかわり方をしたのか、不明のままであります。

印旛沼開発一件の駆け引き

そこで、「資料の行間を読む」作業になるわけです。では、今度は日記の行間を埋めながら、この一件の筋書きを追ってみたいと思います。最初にかえって、五月二十一日のところからやり直します。

印旛沼開発の歴史は、幸い、これまでいくつかの研究がなされておりますので、その研究成果と日記の記事とをつきあわせてゆけば、ほぼこの行間は埋まります。

印旛沼干拓事業は、はやく、幕府主導で享保年間（十八世紀初め）に始められ、とくに田沼意次・水野忠邦によって、幕府財政立て直しの一環として大規模な工事がおこなわれました。しかし、いずれも中途で挫折し、天保の改革の水野失脚後は、再開案の浮上することはありましたが、着工されないままになっていました。

ここに慶応三年二月、つまりこの日記の記事が始まる三カ月前のことですが、相馬郡長沖村（現、茨城県竜ヶ崎市）というところの百姓取締飯塚喜左衛門というものから、幕府勘定所に、印旛沼開削の請願がだされました。それは、この事業のひとつの、印旛沼から江戸湾への運河、水運作りであります。この水運は灌漑用水確保が主な目的だったのですが、利根川水位を低下させて長沖村周辺の洪水を防止するということも兼ねており、長沖村などではかねてそれを期待しておったようであります。ところが、工事の頓挫によって水害対策に埒があかず、今回の飯塚らの請願となったのであります。

そこで幕府は、計画書の提出を求めております。飯塚らの計画では、工事の費用はすべて自分持ち、つまり長沖村の負担で、印旛沼地元民に迷惑のかからないようにするというものでありました。が、なにぶん大がかりな工事のこととて、地元の協力なしには遂行しがたい。そこで勘定奉行小栗上野介を介して佐倉藩の協力を打診したのであります。

五月二十一日と六月八日に学海が小栗に呼ばれたのは、そのことであります。こういった交渉ごとに駆り出されるのが、留守居役の重要な任務であります。

それに対して、地元の佐倉では、他国のものが勝手にやることへの反感も手伝って、惣じてこの計画には懐疑的でありました。幕府が諸藩を動員してやったこれまでの工事でさえ失敗したのに、経済的裏付けもはっきりしない民間の事業、しかも全額負担でやるなど、とても成功するとは思えない。成功しなかった場合でもいっさい地元に迷惑をかけないというが、そんなことは信用できない。それに、洪水対策という名目も胡散臭い。そもそもこの開削干拓工事が地元である佐倉の利益を保障するか。むしろ、印旛沼での漁撈生活者の権利をどうしてくれるんだ、沼からとれる藻草などを肥料にしている農家の打撃だって大きい。洪水なんて毎年あるわけでもないし、われわれには関係ないことだ。そんなことのためにわれわれの生活が脅かされるなんて我慢できない。これまでの工事だって、幕府の命令だからやっただけで、われわれはすすんで協力したわけではない、とまあこんな調子で、村民たちは、この計画を完全に拒絶しました。

佐倉藩当局は、幕府と領民との板挟みになってなかなか結論がだせませんでした。六月十六日の日記の記事、学海がまた勘定所から呼び出しがかかったわけですが、延引していた回答を小栗から迫られました。返答に両三日の期限をつけられた。が、学海は、国元への問い合わせに往復六日の猶予がほしいと答えます。六月二十三日に勘定所に行ったのはその期限であったからであります。日記には詳しく記していないところをみると、まだ結論をだしていないようであります。佐倉藩はようやく七月十二日に結論をだします。その内容は「村民難儀なるよし」、それを勘定奉行につたえて、佐倉藩は協力しかねる旨を、幕府に申し出ました。しかし、奉行の小栗は納得せず、村役人を呼んで直接談判すると言ったのであります。

日記には、この印旛沼の件に関する記事はこれが最後です。おそらく、学海の手を離れて、留守居役としてかかわることはなかったのだと思います。

その後この一件はどうなったかといいますと、その十日後、勘定奉行の呼び出しに応じて、印旛沼周辺三十五箇村の総代が江戸に出てきました。村民代表たちは、はじめは開発反対陳情のために出府したのですが、小栗の弁舌に籠絡(ろうらく)されて協力の約束をさせられてしまい、今度は村民説得のために村に帰るはめになりました。しかし、地元の反対は予想外に強く、結局、協力できないことを幕府に申し出ることになったといいます。以後、時代の情勢によって、幕府もそれどころではなくなって、印旛沼開発のことは幕府時代においてはうやむやになって沙汰(さた)がなく、明治政府の手でおこなわれることとなるのであります。

維新後に伏せられた事実

続きまして、つぎの例は、佐倉藩がある重大な事件にかかわっていた、しかし、それ以後の維新史や郷土史などでは語られていない、というお話です。

慶応三年の十二月、つまり明治元年の戊辰(ぼしん)戦争が始まる前の月のことですが、薩摩藩は、武力倒幕の口実をつくるために、幕府を挑発する作戦にでました。三田(みた)の薩摩藩邸に尊皇攘夷派の浪人たちをかり集め、江戸の町で騒動をさかんに引き起こしておりました。江戸の町が物騒になって、それが薩摩藩のしわざであるということは、幕府のほうでも苦慮いたしておりまして、学海の日記にもそのことは、しばしば書かれております。市内警護のための兵力を幕府から依頼されて、国元から藩士を江戸に呼び寄せる。そういった仕事も、学海は、留守居という職務柄やらねばなりません。

十二月二十四日の記事にこうあります。

監察木下大内記(きのしただいないき)より重役壱人を召さる。余これが介添たり。日くるるほどに召されて申し渡さる旨あり。薩賊不測の謀(はかりごと)あるを以て不慮の戒(いましめ)なかるべからず。よろしく雉橋門の警固をいましむべしと。此日、庄内の松平権十郎も召されて閣老に謁す。密議やや久し。

大目付(おおめつけ)の木下大内記から佐倉藩に、家老ひとり出頭するよう命じられたので、学海が介添(かいぞ)えで伺候(しこう)しました。夕刻になって、大目付から申し渡されたのは、「薩摩藩の不穏分子に不測のはかりごとがあるので、警戒をおこたってはならない。雉子橋門(きじばしもん)の警護を厳重にするように」ということでありました。

おなじ日、庄内(しょうない)藩の家老松平権十郎も、老中に呼ばれて登城しておりました。庄内藩は江戸市中取締の責任者であります。幕閣と庄内藩との話し合いは、学海が「密議やや久し」と書きとめております。

そして、つぎの日の二十五日の記事です。

> 朝とく家兄の廨舎(げしゃ)に至りしに、雉橋(きじばし)の屯所(とんしょ)より、今日薩邸を討たせらるべきに決して、庄内陸軍の兵、之(これ)にむかうと云。言未(いま)だ終らずして、火、三田の辺に起る。余、馬を馳(は)せて斥候(せっこう)す。庄内の使者にあうて兵を請わる。即、大砲二門・歩兵一隊・短兵一隊を応援として赤羽根に陣す。余、之を郷導す。幕府使番松平左衛門・庄内軍将石原倉右衛門に会して事を議す。賊討たるるは少し。多くは脱し去るという。我使詰問(きつもん)すれど、賊服せず、却(かえっ)て砲撃す。やむを得ずして之を討つ。賊、邸に火して逃脱するもの多し。間部(まなべ)・上山(かみのやま)の兵各五、六名を傷(きず)つけらる。

その日早朝、学海は兄貞幹(さだもと)の役宅に出向きました。兄が言うには、

「雉子橋門の屯所（とんしょ）のわが藩兵より、たったいま急報があった。きょう薩摩藩邸襲撃に決定して、庄内藩陸軍がこれに向かったということだ」

そうこうしてるうちに、薩摩屋敷のある三田方面から火の手があがりました。学海は様子をみるために馬に乗って藩邸を出ると、ちょうど庄内藩の使者に会った。かくかくしかじかで、貴藩にも出兵を願いたいということであった。学海は、藩邸にとってかえし、大砲二門・歩兵一隊・短兵一隊を出動させ、みずから指揮して赤羽根橋（あかばねばし）に布陣しました。薩摩屋敷から出てきた浪士体のものを詰問したが、賊は服従せず、かえって砲撃してきたので、やむを得ずこれを討ち取りました。

終わって、学海は、幕臣松平左衛門・庄内藩重臣石原倉右衛門に会った。薩賊の多くは、屋敷に放火して脱走したということであった。

この薩摩屋敷襲撃は、維新史でも有名な事件であります。学海が前日に江戸城で目撃した幕閣と庄内藩との密談は、このことの打ち合わせであったと思われます。幕府の指示によって、庄内藩兵約千人を主力に出羽松山・上ノ山（かみのやま）・前橋・西尾・鯖江（さばえ）の各藩兵あわせて総勢二千余人が薩摩藩邸を包囲して攻撃を仕掛けました。

この事件が大阪城につたえられ、幕府軍や会津・桑名などの主戦派を刺激して、やがて鳥羽伏見（とばふしみ）での会戦につながってゆくのであります。これは、客観的にみれば、武力倒幕の口実をつくろうとしていた西郷隆盛（さいごうたかもり）ら薩摩藩の仕掛けたワナに、幕府がまんまとはまったということになります。薩摩が天下を取ったという結果論からいえば、軽率の挙であったことはまぬがれません。むろん、襲撃を実行した幕府や佐幕派諸藩に、そこまでの見通しがあったわけではありません。

二十八日に学海は、

> 上ノ山侯（松平信庸）自ら戦地にのぞみ、近習の士七人死す。賊を斬ること又甚だ多し。侯の勇猛、実に当今に比類なしというべし。

と記しております。薩摩屋敷を襲撃した上ノ山藩はのちに新政府によって処罰をうけます。もちろんそんなことは予測できない、後日の災難に思いいたれとまではいわなくとも、いささか無邪気の感なきにしもあらずであります。

そして、学海が同時進行で書き記しているところによって、この事件に佐倉藩も一枚かんでいるということのわかるのが、わたしには興味ぶかいのであります。さらに興味をそそられるのは、それにもかかわらず、つまり佐倉藩も一枚かんでいるにもかかわらず、郷土史も含めた幕末維新史には、この事件の関係者として佐倉藩の名がみあたらない、ということであります。たしかに、学海の日記によれば、佐倉藩は前日の謀議にくわわっていないようであるし、当日の佐倉藩兵も直接襲撃に参加した様子はありません。だが、一部の同時代資料には、討手のなかに堀田相模守の名前もありますから、佐倉藩を一味と見なす目は一部にあったようであります。それが、歴史として冷静になって語られるとき、佐倉藩の名前が表面に出てきません。それは、薩長の新政府のもとでの佐倉藩存続のために、学海らの必死の努力があったのかもしれない、などと想像するのであります。

戊辰戦争と佐倉藩の一挿話

江戸でのこの薩摩藩邸襲撃事件の報が京都・大阪につたわって、それが引き金になったようなかたちで、薩長主体の朝廷軍と幕府軍が開戦、すなわち翌年の正月三日の鳥羽伏見の戦になってゆくのであります。この開戦の報は、八日から九日にかけて、江戸にもたらされております。それから毎日、上方からの戦況が江戸に入ってきます。そして、次第に幕府軍の劣勢をつたえる情報が多くなってくる。やがて、幕府軍の総指揮官である徳川慶喜が戦線を離脱して江戸に逃げ帰ったことによって、薩長軍の勝利に至ったことは、周知のことであります。

学海の日記にもその情勢がつぶさに記されるのですが、十三日の記事に、このようなのがあります。この日も、幕府や譜代藩のとるべき行動や態度についての議論が戦わされたようですが、その日の夜遅くになってからです。

夜、会津藩石川英蔵来たりて、藩の手負人等京師より到れり、治療を本藩の医師佐藤氏に請わる。

この日の深夜、会津藩士の石川英蔵と名乗るものが、ひそかに佐倉藩邸に学海を訪ねてきました。石川が言うには、

「わが藩の負傷者が京都から運ばれてきている。ついては、その治療を貴藩の医師佐藤氏に依頼したいのだが」

ということです。この石川が言った佐藤氏とは、すでにお気づきかと思いますが、名を尚中、号を舜海といいます。佐倉順天堂の創立者である佐藤泰然の養子で、順天堂を継ぎました。舜海が鳥羽伏見の戦で負傷した会津藩兵を献身的に治療したことは、現在でも会津の地では美談として語りつがれております。

そして、会津藩士と佐藤舜海とをとりもったのが、じつは留守居役である依田学海だったのであります。学海と石川が個人的に親しかったかどうかはわかりません。日記の書きぶりから判断しますと、学海は留守居役として、単なる佐倉藩の窓口として対応にでたかと思われます。とすれば、会津藩士石川英蔵は、佐倉藩の佐藤舜海の医師としての名声を知っていて、佐倉藩を頼ってきたということになります。

なお、このとき佐倉藩邸に忍んできた石川英蔵は、その後、会津に帰り、官軍との戦いでこの年八月二十三日、会津若松の蚕養口というところで戦死しております。年は三十一歳であったと

いいます。

将軍徳川慶喜が大阪城の幕府軍を置き去りにして江戸にかえってくるのが、この石川英蔵が忍んできた日の前日、一月十二日でありました。学海ら江戸の佐幕派たちの多くは、将軍がかえってきたことを、幕府軍立て直しのためと解釈していましたから、新たに軍隊を上京させて体勢を挽回しようと、幕府にはたらきかけます。

そして、それら佐幕派の代表のひとりとして、一月十六日、江戸城に登城します。そのとき、京都から退却してきた近藤勇と土方歳三に対面します。

此日、新撰組近藤勇・土方歳三にあう。近藤、去月十八日、伏見にて肩に痛手を負えり。歳三は其手の兵を将いて伏見・淀・橋本の戦にのぞみ、強の士卒を失う。しかれども、己は死を脱して之に至るという。両人も閣老に謁して再征の議を謀るという。極めて壮士なり。敬すべく重んずべし。

近藤勇は去年の十二月十八日に伏見で薩摩兵とのこぜりあいがあったとき肩を負傷して、正月の鳥羽伏見の戦には、土方が手勢をひきいて戦い、隊員の半分以上を失ったと言いました。二人は虎口を脱して江戸に逃げ帰ったのですが、その日登城したのは、老中に会って、幕府の軍を立て直してふたたび京都にのぼることを進言するつもりであると言いました。「極めて壮士なり。敬すべく重んずべし」と日記に記しています。

また昭和三年、戊辰戦争六十周年に出版された『戊辰物語』という本に、このときの様子が載っています。学海が、「伏見の戦争はどうでした」ときくと、近藤は話をするのさえ苦しそうで、かたわらの青白い小さな人物をさして、

「これは土方歳三です、これにきいてください」といった。

土方は屈託なく笑って、「どうも戦争というものは、もう槍なんかでは駄目です、鉄砲にはかないません」といったということであります。

ところで、去年負傷した近藤勇を治療したのが、松本順（良順）という幕府の医者であります。松本順といえば、佐藤舜海と同様に、佐倉とは馴染みの深い人物です。ここにお集まりのみなさんのほうがよくご存じです。この松本順こそ、佐藤泰然の実子でありまして、幕府医官の松本良甫の養子となって松本家を継いで、幕府に出仕しておりました。十四代将軍家茂が長州征伐のために大阪に行きますが、それに従って松本順も大阪に出張して、大阪城で将軍が病没するまで、将軍の脈をとっておりました。将軍没後も京阪にとどまっていたようであります。近藤勇の治療をしたあと、翌年の戊辰戦争では、幕府軍のために負傷兵の治療活動に専念し、さらに敗走する幕府軍とともに、京都から会津まで、移動しながら負傷兵の治療にあたりました。いわば近代における軍事医学のはしりであったともいえるのであります。

松本順は、のち明治新政府に出仕して、初代軍医総監にまで出世したということは、佐倉の人

ならよく知る事実であります。

新たな発見をして

　順天堂の地元の医師会で、佐藤舜海と松本順の名前がでましたところで、このお話を締めたいと思います。本日は、北総医学会の特別講演にお招きいただき、このような話をさせていただく機会を作ってくださったことに、大変感謝しております。ありがとうございました。

　この『最後の江戸留守居役』を出版したのは平成八年のことですが、それから二、三年というもの、佐倉の文化講演会とか市民大学などといったところから、講演の依頼が一再（いっさい）ならずございました。それで、わたしもせっせと出掛けていきまして、ひょっとしたら、佐倉の名誉市民になるんじゃないかという勢いでございました。本の売れ行きも最初は結構よかったらしいのですが、いまはこういう本は週刊誌感覚で出ているという時代で、編集者によると、あっというまに売れ足が鈍ったということです。それで、一方的に絶版処分にされてしまいまして、いまでは書店の店頭にはございません。それとともに、依田学海の名前も忘れられたらしく、ここ数年というもの、佐倉からお呼びがかかりませんで、わたしの名誉市民の夢もほんとうの夢になってしまったのであります。

　ということですから、今回のお話がありましたときは、ああまだ忘れられていないんだという、大変うれしい気分を味わわせていただきました。と同時に、きょうのこの講演の準備をする過程で、あのころとは違った視点で佐倉の歴史を見直すことができました。そういうことで、わたしにもいい勉強をさせていただきました。

御静聴ありがとうございました。

〔覚書〕『印旛市郡医師会報』三十一号（印旛市郡医師会、二〇〇三年三月）初出。同医師会から依頼された講演の原稿。高級官僚と勘違いされ、講演料を払うとわたしに迷惑がおよぶのではないかと心配してくれた。いや、そんなことはありませんと、むこうの言い値にまかせたが、さすがお医者さんの団体。些少ですがと言いながら、法外といわないまでも、貧乏学者の想定外の報酬ではあった。この手の講演のお呼びがかからなかったのは、わたしの肩書が邪魔をしたのかと思った次第。

語る〈時間〉、語られる〈時間〉

小津映画の生理的安定

なぜローアングルなのか。それは見ればわかる。映画館で映画を見れば、わかる。だから、小津安二郎は説明しなかった。言ってしまったら、なあんだということになるからである。ただ、小津の時代と違って、現在となっては、「映画館で」と断らねばならない。つまり、家庭用ホームビデオでは、それに容易に気がつかない。

映画館の観客は、こころもちスクリーンを見上げるようにしなければならない。室内のシーンのおおい小津映画で、畳にすわる習慣の日本家屋において、卓袱台の表が見えるか見えないかの画面をみる観客は、だから、きわめて自然な視点と視線でスクリーンに対峙することになる。あの低いカメラの位置は、映画館の観客に、生理的安定感を与えるのである。それは、そのアングルで人物が立って正面をむいたときによくわかる。観客は、その人物と自然な視線がかわせることに気づくはずだ。

小津映画の画面は、自然さを犠牲にしてまでローアングルではない。たとえば、「小早川家の秋」で、二階からの、小津にしては珍しいショットがある。だが、そのショットは不自然とも異質の小津映像とも感じさせない。二階にいる孫が、出掛けようとする主人公を見るシーンだからである。観客の目はそのとき二階にあるから、自然なのである。「麦秋」の大詰めの海岸のシーンでも、カメラが下をむくことで有名な箇所がある。しかし、われわれはそこに、それまでのローアングルとの違和感を覚えない。それがそこでは自然だからである。それまでのローアングルも自然だったから、違和感がない。これらの自然さは、生理的な無理を押しつけない。

小津が後年になるほど移動撮影を少なくしたのも（「東京暮色」以後、カメラの移動はなくなる）、畢竟、観客の生理的安定感をこわさないための配慮であった。ワイドスクリーンを嫌っていたのも、これと関係する。映画館でのワイドスクリーンは、たしかにスペクタクルで躍動感はあるだろうが、生理的には落ち着かない。

小津は、観客の生理的安定感をこわすことを嫌った。小津自身が言っている、「観客をひきずってゆくものは、観客の生理と結びついた映画感覚であって、技術の上の文法などというものではない」と（「映画に文法はない」『芸術新潮』一九五九年四月号）。

「東京物語」は東京を語ったわけではない

小津に対して厳しかった後輩の吉田喜重は、「東京物語」を評して、東京の顔が見えない、と言った（一九九三年ＮＨＫ教育テレビ「吉田喜重が語る小津安二郎の映画世界」）。

そういわれれば、たしかにそうである。老夫婦が何日かをすごす長男幸一の家も長女しげの家も、都心から離れた、いかにも場末にある。

「ここあ東京のどのあたりでしゃあ」

「端のほうよ……」

「そうでしょうなあ。だいぶん自動車で遠いかったですけの……」

「ああ」

「もっと賑やかなとこか思うとった……」

東京に着いて、長男のうちの二階でかわす老夫婦の会話である。

しかも、子供たちは仕事におわれていて、ゆっくり両親を東京見物に連れだせず、老夫婦は、長男や娘しげの家の二階で日がな一日をすごすしかない。当然、そこに東京は描かれない。しげが無理に義妹の紀子に頼んで両親に東京見物をさせ、その紀子がデパートの屋外階段の踊り場から、おねえさまのおうちはあちら、わたしのうちはこちら見当、と指さす。だが、指さす紀子とその方向に視線をやる老夫婦がうつるだけで、肝腎の東京の町は申し訳ていどにしか画面に出ない。また、老夫婦が上野界隈を歩きながら、なあおい、ひろいもんじゃなあ東京は、と言うが、やはりここでもその東京の町は映らない。「東京物語」の東京は、ハトバスの窓から、ガイドの説明付きでしか登場しないのである。

かくも、「東京物語」の東京のディテールは希薄である。この希薄さは、たとえば成瀬巳喜男（なるせみきお）作品の映像がかたる東京とくらべてみれば、際立っている。そして、「東京物語」で描かれている空間は、じつは、尾道（おのみち）であった。「東京物語」には東京の顔が見えないのではなく、そもそも東京の顔を描かなかったのである。

こう見てくると、われわれは、小津安二郎という映画作家が、意外なことに、戦後、東京という空間をほとんど描いていない、ということに気づかされる。それがいいすぎならば、東京を描くことに積極的でなかったと言ったほうがいいか。「晩春（ばんしゅん）」「麦秋」は鎌倉での生活であり、「小早川家の秋」は大阪、「浮草」は旅芸人の話、「お早よう」は多摩川沿いの新興住宅地、「秋刀魚（さんま）の味」で笠智衆（りゅうちしゅう）の勤めている会社とその自宅は川崎あたりである。その「秋刀魚の味」をはじめとする「お茶漬けの味」や「彼岸花（ひがんばな）」「秋日和（あきびより）」などの比較的裕福な家庭の生活空間にも、それが東京であるという主張はみえない。盛り場の看板やネオンサインのショット、また登場人物がよく集まる小料理屋も、東京という固有名詞をほとんど表現していない。

小津映画における東京は、「晩春」の帝国劇場・ニコライ堂、「麦秋」の歌舞伎座・国立博物館・丸ビル、「彼岸花」の東京駅・聖路加（せいろか）病院、「秋日和」の東京タワー等々、いわば東京のランドマークしか出てこないのである。しかも、それらの東京は、映画の説話内容との必然的なつながりは少ない。極端な話、それらが入れ替わってもさして不都合でない東京である。吉田喜重はそれを「ありきたりの東京」といった。

もっとも、戦後、積極的に東京を描こうとつとめた作品が、小津になかったわけではない。わたしは、「東京暮色」「早春」が珍しく東京を描こうとした作品だと思うのだが、それが成功しているとは、とても言えない。小津が東京を描こうとすると、きまって失敗する。

東京と尾道の距離

「東京物語」の描く空間が尾道（おのみち）であるといったが、しかし、小津にとっての尾道が、たとえば大林宣彦（おおばやしのぶひこ）にとっての尾道ほどに重要な意味をもっているかといわれると、答えに窮する。尾道という一地方都市は、「東京物語」においてどのように解読すればいいのか。

それを解く鍵が、老妻のことばのなかに隠されている。彼女は、東京に着いた日に、つぎのように言った。

「でも、なんやら夢みたような……。東京いうたらずいぶん遠いとこじゃ思っとったけど、きのう尾道発（た）って、もう、きょうこうしてみんなに会えるんじゃもんのう」

ところが、東京を発つことになる日の朝、紀子のアパートで紀子とかわす会話、

「またどうぞ、おかあさま、東京へいらしったら」

「へえ……、でも、もう来られるかどうか……。暇もないじゃろうけど、あんたもいちど尾道へも来てよ」

「うかがいたいですわ、もうすこし近ければ……」

「そうなあ、なにしろ遠いけえのう……」

そして、東京駅でも、一生のお別れみたいに、といって笑う長女のしげに言う。

「ずいぶん遠いんじゃものお」

東京に到着した日には「東京いうたらずいぶん遠いとこじゃ思っとったけど」といわせ、東京を離れる日に「なにしろ遠いけえのう」といわせる。ここで読み解かれるべき尾道は、東京からの距離である。小津が描いたのは尾道ではなく、じつは、東京と尾道の距離であった。

老妻の心のなかでいつのまにか変化した、東京と尾道の距離を、われわれは読まねばならない。そして、われわれ観客は、この老妻の心境の変化を受け入れるのに、さしたる困難をおぼえない。すこぶる自然に、彼女に感情移入できる。同情をよせる。

老妻のなかで、何が、東京・尾道間の距離を変化させたのか。それを無理なく観客が理解できるのは、なぜか。そこには、巧妙な〈時間〉の仕掛けがあった。

〈時間〉の仕掛け

小津が観客の生理的安定に意をはらっていたことは、前述したとおりである。ローアングル、カメラの固定、スタンダード画面への固執、これらはすべて、映画を見る人の生理にあわせるためであった。

意をはらったのは、しかし、それだけではない。右のことがいずれも空間の処理であるとするなら、時間の処理にも、小津は意をはらっている。有名な、カットのみによるシーン転換もそのひとつであるのだが、もっと重要なことがある。映画という新しい芸術がせっかく持っている時間処理の効果的表現を、小津はあえて使わない、ということである。

小津は、時間をさかのぼらせなかった。われわれは、小津の映画に、回想シーンがないことに思いをいたさなければならない。ひとりの映画作家でこれだけの徹底は、おそらく稀有といっていいだろう。そこには小津の明確な意思がある。

人間が経験する現実の時間は、けっしてさかのぼることはない。後戻りすることはないのである。いうまでもなく、映画館で映画を見ているときも、そうである。だから、目の前の映像で時間が逆行すれば、観客の生理は乱され、不安定になる。映画の技法はそこをねらって効果をだす。これがきわめて効果的な技法であることを、われわれは容易に体感できる。めまぐるしく時間の前後する映画や時間軸の曖昧な映画を見せられるとき、われわれは極度の緊張を強いられるであろう。疲労さえ感じることがある。たとえば、アラン・レネの一連の作品がいい例である（「二十四時間の情事」「去年マリエンバードで」「戦争は終わった」など）。十九世紀末に誕生した映画という芸術が発見した、おそらくもっともすぐれた表現技法なのである。

ところが、小津はその技法をかたくなに使わなかった。小津映画ではつねに、観客がいま現実に体験している時間の流れとおなじ方向に、映画のなかの時間も動いている。ひとえに、観客の生理にさからうことを嫌ったのである。逆説的にいえば、観客の生理的安定をねらった、きわめて周到ですぐれた技法、である。

老妻の心境を変化させたのは、東京ですごした時間であった。そして、その心境の変化を観客がごく自然に受け入れることができるのは、ともにおなじ時間の流れを共有しているからにほかならない。生理的に無理がないのである。

語る〈時間〉、語られる〈時間〉

「時間が彼女を変化させた」というときの〈時間〉は、語られる時間である。一方、「おなじ時間の流れを共有している」というときの〈時間〉は、語る時間である。ここでは、語り手である〈時間〉が語られる対象の〈時間〉を語っているのである。そして、じつは、「東京物語」という作品じたいが、この自然な時間の流れ（語り）にのせて、〈時間〉とは何かという観念（主題）をえがこうとした、きわめて実験的な映画であった。ということを、以下に検証していってみたい。

　長男の幸一、長女のしげはともに四十代の半ばである。開業医の幸一はおそらく東京の大学を出ているのだろうから、故郷尾道を離れて三十年近くになる。しげについてははっきりしないが、美容師として成功しているところをみると、これもかなり長い東京暮らしであると想像される。しげは、夫が東京の人間らしいから、結婚前に尾道を出た。もうひとり、尾道を出て東京にきたのが、次男の昌二（しょうじ）である。これも東京で紀子と知り合って結婚したが、戦争に行ったきり音信不通である。家族は死んだものと諦めている。三男の敬三は、大阪で国鉄に勤めている。末っ子の京子は、尾道で小学校の先生をしながら、両親とともにくらしている。

　家族（結婚相手も含めて）の数的規模でいえば、前作にあたる「麦秋」とほぼ変わりがない。違いは、「麦秋」の家族がおなじ家に住んでいるのに対して、「東京物語」では散らばっているということである。きょうだいたちは、両親のいる尾道から、同居の京子をゼロ距離としてそれぞれに距離をおいて暮らしている。そして、シナリオの故意か偶然か、その距離は年齢に比例しているところが興味ぶかい。

　老夫婦が東京に着いた最初の夜、食事のあとのくつろぎ。老夫婦と幸一・しげの親子で尾道の話に花がさく。お孝（こう）さん・三橋（みはし）さん・服部（はっとり）さんといった四人の共通の知り合いの話題がでる。「どうしてます?」と子供たちが尋ねると、「ああ、あの人はなあ」といって老夫婦はこたえる。田舎から上京してきた両親をかこむ、どこにでもある夕食後の団欒（だんらん）である。

だが、この風景がやがて「東京物語」という物語の巧妙な伏線になる。幸一としげにとって、お孝さんも三橋さんも服部さんも、十年ぶり二十年ぶりに聞く（口にする）名前である。それに対して、老夫婦は、そのおなじ十年二十年、尾道で、お孝さんや三橋さんらの消息とともに生きてきた。東京にきている服部さんとは年賀状のやりとりをしている。これは何を意味するかといえば、子供たちすなわち幸一としげが尾道を離れたときから、親と子で共有した〈時間〉がない、ということである。それでも、あたりさわりのない話題なので、親と子の間柄に破綻はない。

破綻がないのには、もうひとつ理由がある。それは、子供のほうが、共有していた〈時間〉までさかのぼっているからである。しかし、そこにすでに、破綻の芽がひそんでいる。

お孝さんや三橋さんの話題は、両親にとっては日常であっても、子供たちにとっては非日常である。だから、お孝さんや三橋さんの話をするとき、子供たちは〈時間〉をさかのぼらせなければいけない。両親のほうはそれをする必要がない。だが、ここは東京である。東京は、両親にとっては非日常であり、子供たちにとっては日常で、子供たちの〈時間〉でうごいている。両親は、早晩、東京の子供たちの日常からとりのこされる。この夜の団欒はかりそめである。

それは、はやくも翌日、顕在化する。

日曜で休診日であるので、幸一が両親を東京見物に連れだそうとして準備しているところに、きのうから熱の下がらない患者の父親がやってくる。往診にゆかねばならず、そのさきもどうなるかわからないので、結局、その日の東京見物は中止になる。細君の文子は気にするが、「今度の日曜にでも行くさ」と幸一はこともなげに言う。今度の日曜まで両親が東京にいるかどうか定かでないのに、東京の息子の日常は、両親の都合にかまっていない。

両親がしげの家に厄介になっても、しげは忙しくてろくに相手もできない。しげの夫の庫吉が気を遣うのだが、銭湯につきあうことぐらいしかできない。持て余（あま）したしげは、紀子に両親のおもりを押しつける。一日、紀子は会社を休んで両親につきあう。

紀子の〈時間〉

紀子は、次男の昌二の嫁である。

昌二は出征したまま帰ってこない。戦後八年たって、両親も紀子も、すでに戦死したものと諦めている。小津映画の時間はさかのぼることがないから、昌二は画面にあらわれない。両親と紀子のことばのなかでしか語られない。だが、「東京物語」の〈時間〉という主題を考えるとき、両親と紀子の口をとおして語られる昌二の存在は、重要な意味をもっている。老夫婦と紀子の接点は、唯一、昌二によってたもたれており、老夫婦とこの嫁との会話は、ほとんど〈時間〉を語ることに費やされているからである。

昌二の〈時間〉は、両親にとっては昌二が尾道を出たとき、紀子にとっては出征したときに止まった。以来、今日までそのままの状態である。そして、老夫婦と紀子とのあいだには、直接に共有した〈時間〉がない。老夫婦と紀子との共通した〈時間〉は、死んだ昌二を介して間接的にしか存在しない。

紀子にとっての〈時間〉の切れ目は、昌二が出征した〈時〉である。対して、老夫婦にとっての〈時間〉の切れ目は、昌二が東京に出ていった〈時〉である。そして、紀子のなかにいる昌二、老夫婦のなかにいる昌二は、ともに、昌二が死んだと諦めた〈時〉から止まったままの状態にある。〈時間〉は止まったまま、戦後八年が経過して現在に接続している。老妻が「生きているような気がする」といっても、それはどこまでも八年前の昌二である。

「わたしら離れとったせいか、まだどっかに昌二がおるような気がするんよ」と言う老妻のことばは、老夫婦の生きてきた〈時間〉と紀子の生きてきたそれとの差異を暗示する。が、この場の三人、他人であるはずの嫁と老夫婦の心に、実の子供たちとのような隙間風は吹かない。それは、紀子の聡明さもさることながら、この八年という〈時間〉のせいである。たがいに共有した〈時間〉をもたず、昌二を介して止まったままで現在に接している八年という〈時間〉は、すべてを、「いまから思うと懐かしい気がする」と言わせて昇華させる力をもっている。

紀子は、まだ夫の姓を名乗り、夫の写真を飾り、夫の両親や兄姉に真心をもって接する。東京に出てきた老夫婦をあたたかく迎えるのは、長男でも長女でもなく、紀子であった。老夫婦は、実の子よりも他人である嫁と心をかよわした。二人にとって東京でのもっとも充実した時間は、紀子に案内されて東京の街をあるいた一日であり、隣から借りた酒と出前の丼でささやかに催された、紀子のアパートでの一度きりの夕食であった。

そんなけなげな嫁に、老夫婦は心苦しく、紀子に再婚してくれるようすすめる。

映画は残されたものの現実をえがかなかった

老妻とみは東京からの帰り、からだの不調を訴える。尾道に帰って病状を悪化させ、危篤(きとく)の知らせが子供たちのところにとどく。とみの死、その葬儀、と物語はすすみ、葬式帰りに海岸通りの料理屋で、周吉・幸一・しげ・紀子・敬三・京子の六人が食事をする。ここでまた、故人の思い出が子供たちのあいだでかわされる。かつて共有した〈時間〉がよみがえるのであるが、これはいわば儀式的なものであり、物語の終盤にさしかかった時点では、すでに本質的な意味をもたなくなっている。むしろここで際立つのは、両親と東京の子供たちとの、共有していない〈時間〉の顕在化であった。

人の死というものは悲しい。親が死ぬ。連れ合いが死ぬ。兄弟が、子供が、恋人が、友人が死ぬ。人生でこれほど悲しいことはない。そして、その悲しみは、だれにとっての悲しみなのか。いうまでもない、あとに残されたものにとって、である。死ねば感情も知覚もないというふうに即物的に考えるなら、死んだものはこの悲しみとは無縁である。残されたものだけが深く悲しみ、涙を流す。

あとに残されたものには、しかし、あしたからの生活がある。仕事がある。永遠に涙を流しつづけるわけにはいかない。どこかで、涙をぬぐい、またもとの日常に戻らねばならない。人の死が悲しいというのが現実であるように、残されたもののあしたからの生活もまた、現実である。現実には〈時間〉が付きまとう。そしてそれは止まってくれない。

だが、映画はその〈時間〉を止めることができる。〈時間〉を止めることによって、人の死の悲しみをえがきつづけてきた。それが映画であった。

たびたび成瀬巳喜男をひきあいにだして恐縮であるが、あの名作「浮雲」のラスト。女主人公が死に、男が枕もとで泣きくずれる、そこで映画は終わる。時間はそこで停止し、男のあしたからの生活はかたられない。あとに残された男の悲しみは、あたかも永遠につづくかのようにして、時間は止まり、映画は終わるのである。これは、きわめて魅惑的なまやかしであり、詐術である。観客は、映画のなかの男の悲しみが永遠につづくかのように錯覚させられて映画館を出て、みずからは現実にかえってゆく。やはり、映画がもつ高度な表現技法である。こうして、映画は「絵になる」のである。「愛と死を見つめて」に涙したわたしと同世代の日本人にとって、主人公のひとりマコは、いまでも、ミコの死を悲しむ青年でありつづけている。

残されたものにはあしたからの生活があるのだ、ということを、それまでの映画は露骨に表現しなかった。表現することを避けてきた。「浮雲」の富岡謙吉が、死んだ女の枕もとであしたの仕事の準備にとりかかったりしたら、絵にならない。マコがほかの女と結婚生活している後日譚が語られたのでは、絵にならない。

ところが、「東京物語」はそれを試みて「絵にして」みせた。

葬儀後の会食の場面。故人の思い出にひたって、「そう、でも、なんだかほんとに夢みたい」としんみり言った長女のしげが、ふっと気をかえて幸一に向かって、

「兄さん、あんた、いつ帰る？」

と口にする。幸一が、

「うむ、そうゆっくりもしてられないんだが」

とこたえたところから、その場が急に現実的になる。

「あたしもそうなのよ。どお、今晩の急行」

「ああ、……敬三はどうするんだ」

「ぼくはまだよろしいんや」

「そうか。（しげに）じゃ、今晩帰るか」

と言っているうちに結局、敬三も、

「ぼくも帰ろかな。出張の報告もまだしとらんし、野球の試合もあんのや……。帰りますわ」

となってしまう。切符の手配の話になり、「すいてりゃいいけどね」といって飯をよそう。

いつまでも死者にかまっていられないのだ、とはっきり口にはしないが（常識的にも言わない）、

露骨である。露骨だが、これはまぎれもなく現実にある風景である。現実は、いつかは帰りの相談をしなければならない。三男が国鉄勤めなのだから、ちゃっかり切符の手配を頼んでもおかしくない。勤め人なら、出張の報告も大事である。小津はそれら普通の現実にある風景を描写したにすぎない。露骨と感じるのは、映画がそういう描写・表現を、「絵にならない」としてそれまでひかえていたからである。

喪服をめぐる挿話

残されたものの現実といえば、もうひとつ、有名な、喪服をめぐる挿話がある。

母が危篤だという知らせをうけて、幸一としげがその日の夜行でたつことに相談がまとまった。東京駅で待ち合わせることにして、しげがいったん家に帰ろうとして、思いついて、

「ちょいと兄さん」と言う。

「なんだい」

「喪服どうなさる？　持ってく？」

「うーむ。持ってったほうがいいかもわからんな」

「そうね。持ってきましょうよ。持ってって役に立たなきゃ、こんな結構なことないんだもん」

まだ死んだわけではないのに、葬式の相談である。ずいぶんあけすけだが、東京と尾道との距

離を考えれば、現実には、そのような会話はかわされておかしくない。いや、むしろ、まずその心配をするのが正常である。

尾道で、結局、母は死ぬ。母の遺体のそばで、子供たちが涙をぬぐう。しんみりしているかれらを現実に引き戻すのは、やはりしげの喪服の話題である。あんなに元気だったのにとか、死ぬ前に会えてよかったとか涙ぐみながら、また、とつぜん思い出したように、

「紀子さん、あんた喪服もってきた？」

と尋ねる。紀子はとまどって、「いいえ、あのう」とこたえる。

「そう、持ってくりゃよかったのにね。京子、あんた、あるの？」

京子も困ったように、「ううん、ない」と言う。

「じゃ借りなきゃ駄目ね、どっかで。……借りときなさい、紀子さんのも一緒に」

あまりもの落差に、紀子も京子もことばがでない。

若い京子の目

そういった姉や兄に対する末娘、若い京子の目は厳しい。

兄や姉がそうそうに帰ってしまったのに、いわば他人である紀子が、ひとりぼっちになった義父の気持ちを思いやって、しばらく尾道に滞在する。京子は、紀子に深く感謝する。その紀子も

いよいよ東京に帰るという日の朝、京子は、紀子を前にして、姉たちへの憤懣をぶちまける。

「兄さんも姉さんも、もうすこしおってくれてもよかったと思うわ」

「でも、みなさん、お忙しいのよ」

「でもずいぶん勝手よ。言いたいことだけ言うてさっさと帰ってしまうんですもの」

「そりゃしようがないのよ、お仕事があるんだから」

「だったらお義姉さんでもあるじゃありませんか。自分勝手なんよ」

「でもねえ、京子さん」

「ううん、お母さんが亡くなるとすぐお形見ほしいなんて、あたしお母さんの気持ち考えたら、とても悲しうなったわ。他人どうしでももっと温かいわ。親子ってそんなもんじゃないと思う」

　だが、紀子はやさしく諭すように言う。

「だけどねえ京子さん、あたしもあなたぐらいのときには、そう思ってたのよ。でも子供って、大きくなると、だんだん親から離れていくもんじゃないかしら。お義姉さまぐらいになると、もうお義父さまやお義母さまとは別の、お義姉さまだけの生活ってものがあるのよ。お義姉さまだって、けっして悪気であんなことなすったんじゃないと思うの。だれだってみんな自分の生活がいちばん大切になってくるのよ」

「そうかしら、でもあたし、そんなふうになりたくない。それじゃ、親子なんてずいぶんつまらない」

「そうねえ。でも、みんなそうなってくんじゃないかしら。だんだんそうなるのよ」

「じゃ、お義姉さんも？」

「ええ、なりたかないけど、やっぱりそうなってくわよ」

「いやァねえ、世の中って……」

「そう、いやなことばっかり……」

　ここで紀子は、両親と東京の子供たちとは〈時間〉を共有していなかったのだと教えたのである。


　紀子も、残されたものの現実を知っている。いや、考えてみれば、紀子こそ、残されたものの現実を何年ものあいだ生きてきたのであった。「じゃ、お義姉さんも？」という京子の問いに「ええ、なりたかないけど」とこたえた紀子の東京での生活は、戦地に行ったまま帰ってこない夫を、ひとりで待ちつづける八年間であった。生きているのが（死んでいるのが）わかっているならともかく、それさえもはっきりしないまま、残されたものの現実をじっと見つめてきたのだ。これ以上残酷なことがあろうか。紀子の生きてきた八年間は、残酷な〈時間〉であった。

紀子の告白、残酷な〈時間〉

　しかし、紀子にも現実の生活がある。現実の生活がある限り、その残酷な〈時間〉を乗り越えなければならない。乗り越えさせるのは何か。それは、紀子の場合、〈時間〉しかない。そう、「時間が解決する」の、あの〈時間〉である。だが、それは、不都合を忘れさせてくれるという、都合のいい意味の解決ではない。紀子にとって、残酷な〈時間〉を乗り越えるというのは、最愛の夫を忘れるということにほかならない。忘れたくなくても、〈時間〉は、すこしずつ紀子の記憶から夫の記念（かたみ）を消していく。紀子が誠実な人間だけに、この現実は残酷である。

そして、映画を見るものは、紀子の誠実な人柄を十分知らされているから、最後の紀子の告白に、涙するのである。

紀子は、きょうの昼の汽車で帰ることを義父に告げる。義父は、東京でのことからきょうまでの紀子の思いやりに、心から感謝のことばを述べる。そして、もう昌二のことは忘れてくれ、と言う。帰ってこない昌二のことは忘れて、あんたのこれからの幸せを見つけてほしい、これは亡くなった母さんも望んでいたことだ、と言う。それに対して、紀子ははじめて、義父に告白する。

「あたくし猾（ずる）いんです。お義父さまやお義母さまが思ってらっしゃるほど、そういつもいつも昌二さんのことばかり考えてるわけじゃありません」

「いやァ、忘れてくれてええんじゃよ」

「でもこのごろ、思い出さない日さえあるんです。忘れてる日が多いんです。あたくし、いつまでもこのままじゃいられないような気もするんです。このままこうしてひとりでいたら、いったいどうなるんだろうなんて、ふっと夜中に考えたりすることがあるんです。一日一日がなにごともなく過ぎてゆくのがとても寂しいんです。どこか心の隅でなにかを待っているんです。猾いんです」

「思い出さない日さえあるんです」と紀子は言う。〈時間〉は残酷に容赦なく、紀子のなかで流れていっている。そして、その〈時間〉は、現実の生活において、さかのぼることはけっしてない。死んだものの記憶は、さかのぼることのない〈時間〉によって風化してゆく。

〈覚書〉『佐賀大国文』四十一号（佐賀大学国語国文学会、二〇一二年十二月）初出。佐賀大学の教員として毎号掲載をみずからに課した。が、その年は国文ネタのストックが出払ってしまい、パソコンのなかで十年ほど眠っていた本稿を取り出し、若干の改稿をして掲載させていただいた。しろうとの映画批評である。あるいは、専門家のあいだでは語り尽くされた議論であるのかもしれない。

資料の提供か、成果の発信か

オカルトは滅びない

オカルトとサイエンスは背中合わせ、とよく言われる。これはけっして比喩ではない。人類が普通に体験してきた事実から導き出された成語である。

日蝕(にっしょく)もハンドパワーも、それを最初に目撃体験したものには、超常現象、摩訶不思議(まかふしぎ)であった。だが、説明がつけば、それが科学になり技術になる。オカルトはサイエンスとテクノロジーの産みの親である。

科学の歴史は、オカルト(未知)をサイエンス(既知)に塗り替えてゆく営みであった。では、サイエンスがオカルトをどんどん侵食していって、すべての現象をサイエンスで説明できる日が来るだろうか。

「人間って何だ？」という問いは、人文学が独占していた古典的な課題であった。だが、ＡＩの進歩によって、こんにち自然科学の領域で急浮上してきた。自然科学にとってこれまで、人間は「何だ」と問うまでもない存在であったが、いまや、得体の知れないもの（オカルト）として、説明が求められている。

江戸に出掛けて江戸人の話を聞け

先人はさまざまのことを文字にして記録に残してきた。客観的事実の記述から自己の内面の声まで。多種多様ではあるが、ひとつ共通するのは、書き手の既知の範囲内で書かれているということである。どんなに独創的な思想でも、空想や妄想を逞(たくま)しくしても、それはその人の既成の知識から生まれる独創であり空想であり妄想である。当然、文学も同様である。

人類の知識は、未知時代と既知時代に分けられる。未知時代の文学作品を読み解くには、まずもって未知時代の作者（あるいは読者）になれというのが、わたしの育った古典研究の環境であった。「江戸時代に出掛けていって、江戸人の話を聞け」と中野三敏(なかのみつとし)先生はよく言われたが、それは近代人の知識と感性で古典を読むなという訓戒(くんかい)で、それ以外ではない、と解してきた。ずっとそう解してきたし、この歳になって宗旨替えするつもりはない。

わたしは何度か、中野先生の託宣をつぎのように言い換えたことがある。

「錬金術は、パラケルススに学べ」
「天動説は、コペルニクス以前の知識で語れ」

錬金術も天動説も、現代の科学（既知）でもって説明できる。客観的にはそのほうが正確である。しかしそれでは、未知時代の知識や感性を虚心に見る目が曇ってしまう。

国文学者による古典の読解とは、畢竟、古典時代の読書を再現し体験することである。日蝕を超常現象と感じることであり、リンゴが落ちるのをお節介に説明しないことである。錬金術を最新技術と信じること。注釈はそのための補助である。それを契沖（一六四〇～一七〇一）は「万葉を読むには同時代資料より帰納すべし」と言い、伊藤仁斎（一六二七～一七〇五）は「いにしえのことはいにしえに学べ」と言った。仁斎に学んだ中村幸彦先生の教えであり、わたしの学んだ研究室の伝統であった。江戸の作品は江戸の作者（あるいは読者）の世界で読む、である。

アマの注釈、プロの注釈

左は小城鍋島文庫本『和学知辺草』（寛政年間〈一七八九～一八〇一〉成立）の一節。

日本と称し始めたる事も東国通鑑に始て見ゆ。吾朝は天智天皇の御宇に当れる也。

これに注釈をつけたい。

演習で学部生がつけてくる注釈は、多くは歴史辞典から「東国通鑑」と「天智天皇」を引いて、それですませる。

大学院生にもなると、さすがにそれでは許されない。「東国通鑑（とうごくつがん）」本文を通覧して「日本」の語を検索する。「天智天皇」時代との関連も確認する。「日本」呼称の嚆矢（こうし）が「東国通鑑」なのかどうかを調べ、それが『和学知辺草』の記述と一致していれば、著者の知識の正しさを認める。齟齬（そご）していれば、著者の認識不足（間違い、勘違い）と見なす。

学部生よりもレベルの高い演習である。だが、これでは、既知（近代人）の知識で未知時代（近世）の作品を読んでいることになり、近世人の読書体験、読書空間とは言えない。そこで、プロの注釈だと、こうなる。

『秉燭譚』巻二「日本国号ノコト」に、「東国通鑑第九、新羅文武王十年八月ノ下ニ云「倭国更号日本、自言近日所出、以為名」ト。コノ年ハ、唐ニテハ高宗ノ咸亨元年、本朝ニテハ天智天皇ノ九年ニアタル。本朝ニテシラザルコトナレバ、従ガタシ。然ドモ唐以上ノ書ニ、日本ト云コトミエザレバ、此ノ時分ヨリコノ字ヲ用ヒラレタルニヤ」とある。『東国通鑑』は李氏朝鮮の史書（一四八四年成立）。「天智天皇の御宇」は、大化の改新（六四五年）から壬申の乱（六七二年）あたりまでを指す。

『秉燭譚』（伊藤東涯著）を引用すれば、それで作品の時代（寛政年間）の読書空間を再現したことになる。これで十分であり、東涯の認識の穿鑿は、やって悪いとはいわないが、『和学知辺草』の読解には、ノイズにしかならない。

近世の読み物で、例の「香爐峰の雪はいかならん」の話を紫式部のエピソードとしているのに出会ったとき、当然、違和感は持つ。だが、注釈のプロであるなら、プロであるがゆえに、作者の無知と嘲笑して、無下に斥けてはいけない。虚心坦懐になって、紫式部説の存在を考えてみる必要がある。

そして、紫式部が御簾を捲き上げたという記述を『和漢三才図会』や『国花万葉記』などに見つけ、井沢蟠龍（一七三〇年没）がそれを俗説として話題にしていることを知れば、「紫式部御簾を掲げる」は、作者の無知ばかりではなかった、嘲笑は古典に対する専門家の傲慢だったことを思い知るだろう。古典の読み解きには、われわれ（既知時代）の正説も俗説も謬説も捏造説も、みんな平等である。

研究資料の提供か

「通読の便を考慮して」というのは、いまでは、古典テキストの凡例の決まり文句である。考慮して、底本（ていほん）にない句読点や濁点・送り仮名を補ったり、段落を設けたり、鉤括弧をつけたり、仮名遣いを統一したり、あるいは仮名を漢字表記にしたり、誤字脱字を訂正したり、といったことをする。

一方、こういった行為を不本意と感じる専門家の声も耳にする。そこに校訂者の解釈（恣意）が入り、読み手をミスリードする、と。本当は純粋な学術的翻刻（ほんこく）がしたい、通読の便は、読者サービスにすぎない、と。商業主義を排し、どこまでも原本（底本）に忠実な、良心的な翻刻をやってみたい、と。

学術的で良心的な翻刻とは、通読の便という縛りから解放された、いわば素（す）のままのテキストを意味するらしい。研究資料として偏（かたよ）りのない分野で利用できる、そのためには素のままのテキストであることが望ましい、と。

われわれの研究会では、『十帖源氏 立圃（りゅうほ）自筆書入本』（笠間書院、二〇一八年）を出す前に、素のままのテキストを佐賀大学の紀要に掲載した。だが、これはけっして、良心的で学術的な翻刻を目指したわけではない。校訂の方針を執筆者十数人が共有するには時間的ゆとりがなかったので、とりあえず出版のための準備稿と位置づけて、素のテキストを公開しただけである。

紀要のテキストでは、したがって、忠実に翻字し、句読点は補わない。濁点もあるものだけに付してゆき、朱筆の濁点は朱筆であることを明確にする。本文の不審箇所も改めない、まったく通読の便を考慮しないテキストであった。

たしかに、これでもって、研究資料として偏りのない分野で利用できるテキストにはなった。だがこれでは、古典研究という偏った分野へのテキスト提供でしかない、というジレンマが、俄然、頭をもたげてくる。いかほどの数の人が、こんなテキストを必要とするのだ。

古典のテキストはそもそも、限られた研究者のためにあるものなのだろうか。研究者が同業者向けのテキストを作って、それをこそ学術的良心的だ、などと称するか。「研究資料の提供」と聞こえはいいが、所詮、国文学者の自己満足ではないか、専門家のわがままではないのか、と思われてならない。

読者をミスリードするリスクは避けたい、それは失敗を恐れるがゆえの逃げ口上にすぎないのでは？　素のままのテキストとは、学問の手が入っていない（ということは非学術的な）翻刻の謂(い)いではないのか、と言いたくなる。

研究成果の発信か

その後刊行した『十帖源氏立圃自筆書入本』は、「通読の便」を考慮したテキストであった。が、いささか高値になって、専門家向けの域を脱することができなかった。高値になったのは、科研(かけん)の報告書を兼ねたため、このときも、研究成果の発信という共通認識で原稿作成する時間がなかったからであった。それに、この出版を研究資料の提供であれかしという発想が、校訂者間に根づよくあったことも否めない。もちろん、どちらを是とするかという話ではない。

わたしは編者の独断と特権でもって、それにささやかな抵抗を試みた。

この版本には、読み癖の濁点（違和感のある濁点）が、一部であるが、反映されている。研究資料としてこれを国語国文学界に提供することにこだわるならば、濁点のあるものについては、違和感があっても、濁点は残す。だが、おなじ語でも濁点がなければ、慎重を期し原本に従って、濁点は補わない。これが素のままの本文、良心的学術的な「研究資料の提供」である。

わたしのささやかな抵抗とは、濁音で音読したであろうと考えられる語には、底本に濁点がなくても、積極的に、片っ端から濁点を補ってゆくことであった。偏った研究分野のための研究資料の提供ではない。近世初期源氏音読を再現したテキスト、それをこんにちの読書界に発信する。

素のままのテキストであるなら、濁点を付すかどうかの判断に狂いはない。一方、わたしのテキストには、判断ミスがあるはずだ。批判の余地が多くのこされる。だが、批判され修正されるのが学問である。批判され修正されるためには、まずそれを発信しなければならない。

白か黒かではない

もちろん、国文学に限らず、どんな学問にも、白でなければ黒、黒でなければ白、などというものはない。小城鍋島文庫本『十帖源氏』の翻刻は、紀要のものも単行本のものも、どちらも研究成果の発信であり、同時に研究資料の学界への提供であった。研究資料の提供は研究成果の発信であり（べきであり）、その逆でもある（べきである）。それを際立たせるために、あえて、黒とは何が黒なのか、白とは何が白なのかを、図式化してみたのである。

われわれは神ならぬ人間だから、おなじ人間をミスリードする、それを百パーセント回避することは不可能である。が、恐れることはない。そのミスは後進が矯正してくれる。箸にも棒にもかからないミスなら、無視される。

間違っているかもしれない、あとであっさり覆されるかもしれない、というのが学問のそもそものあり方であろう。それでも懲りずに、研究成果なるものを生産しつづける、それが研究者の性（さが）なのではないか。人類はそうやってオカルトをサイエンスに変え、新たなサイエンスが新たなオカルトを産んできた。

〔覚書〕『雅俗』十八号（雅俗の会、二〇一九年七月）初出。一部を『注釈・考証・読解の方法』（文学通信、二〇一九年）のまえがきに使った。

あとがき

本書は時間軸でいえば、七十年安保前夜から始まる。だが、所収の文章の礎稿は一九九六年に書いたものまでしかさかのぼれない。回顧しながら話を盛ったところもあるが、時代の空気は十分に伝えていよう。

この時期の大部分、わたしは肩書上、教育・研究機関に所属していなかった（文部科学省初等中等教育局勤務）。だから、大学改革だとか学問の再編だとか、国立大学法人化だとか、まったくの他人ごとであった。還暦を過ぎて、様変わりした大学に戻ったが、わずか五年の教員生活では、その様変わりに馴染むことはできなかった。

第Ⅰ部は、そんな部外者の、外野席からみた教育・研究現場の風景である。空回りも多い戯言（たわごと）集で、ずっとベンチとグランドで苦労した友人たちからは、「高みの見物、何もわかっちゃいない」と突っ込みが入るかもしれない。

第Ⅱ部は、その戯言を産むに至るわたしの履歴書。団塊の世代のノスタルジーを掻き立てようとして、若い読者にはピンとこない歴史用語をふんだんに使った。ほどこした注釈もひょっとしたら、わたしの世代だけが共鳴する空気感なのかもしれない。

第Ⅲ部は、九大国語国文教室の学風に漬かりながら、しかしそれに徹しきれないつまみ食いの一部である。恩師や先輩・同級生から顰蹙をかうのを覚悟で、こっそり書いていた。

自己満足の文章の出版を引き受けてくださった文学通信岡田圭介氏の寛容に感謝申し上げたい。今回も西内友美氏に助けられて本書が成った。

令和二年十月　新型コロナ禍のなか　春日原の簾齋に籠もって

白石良夫

著者

白石良夫（しらいし・よしお）

1948年、愛媛県生まれ。九州大学文学部卒業、同大学院修士課程修了。北九州大学講師等を経て、文部省（現文部科学省）入省、教科書調査官（国語科）。2009年、佐賀大学教授となり、2014年退職。専攻、国語学・国文学。博士（文学）。
主要著書に、『江戸時代学芸史論考』（三弥井書店、2000年）、『説話のなかの江戸武士たち』（岩波書店、2002年）、『幕末インテリジェンス』（新潮文庫、2007年）、『かなづかい入門』（平凡社新書、2008年）、『本居宣長「うひ山ぶみ」』（講談社学術文庫、2009年）、『古語の謎』（中公新書、2010年）、『古語と現代語のあいだ』（ＮＨＫ出版新書、2013年）、『注釈・考証・読解の方法』（文学通信、2019年）など。

虚学（きょがく）のすすめ

基礎学の言い分

2021（令和3）年2月15日　第1版第1刷発行

ISBN978-4-909658-49-4　C0095　

発行所　株式会社 **文学通信**

〒170-0002　東京都豊島区巣鴨1-35-6-201

電話 03-5939-9027　Fax 03-5939-9094

メール info@bungaku-report.com ウェブ https://bungaku-report.com

発行人　岡田圭介

印刷・製本　大日本印刷

ご意見・ご感想はこちらからも送れます。上記のQRコードを読み取ってください。

文学通信の本

☞全国の書店でご注文いただけます

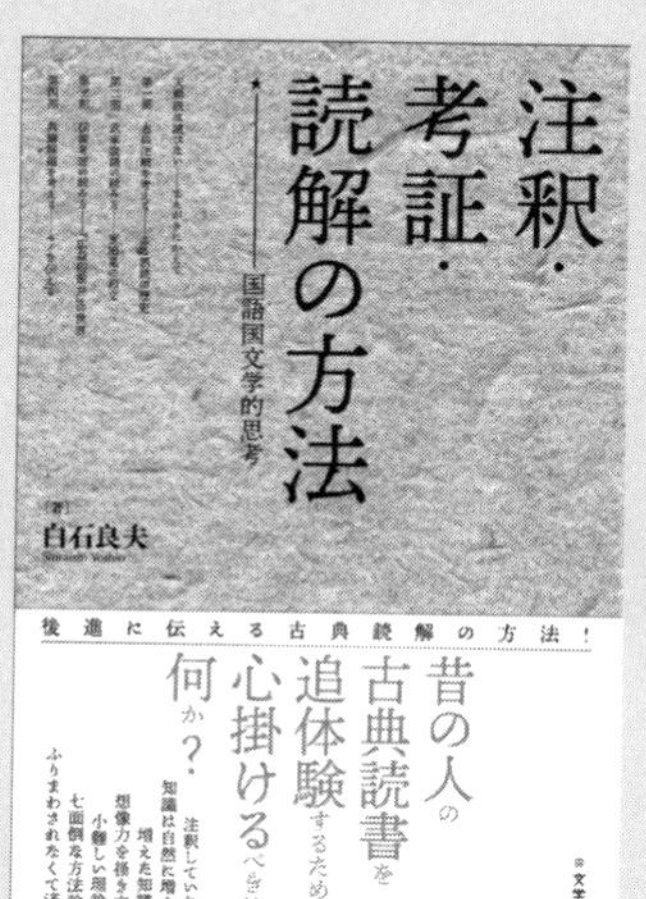

白石良夫［著］

注釈・考証・読解の方法
国語国文学的思考

注釈していれば、知識は自然に増える。増えた知識は想像力を掻き立て、小難しい理論や七面倒な方法論にふりまわされなくて済む——。
昔の人の古典読書を追体験するために、心掛けるべきは何か。後進に伝える古典読解の方法！

目次

第一部　古典注釈を考える—ある誤読の歴史
第二部　武家説話の読み方—室鳩巣の和文
第三部　伝説考証の読み方—『広益俗説弁』の世界
第四部　典籍解題を考える—モノを伝える
人名・書名索引

ISBN978-4-909658-17-3 ｜四六判・上製・288頁
定価：本体3,200円（税別）｜2019.11月刊

白戸満喜子［著］

書誌学入門ノベル！
書医あづさの手控（クロニクル）

代々続く書医（書籍のお医者さん）の家に生まれたあづさは、早世した兄・葵に代わり、家業を継ぐことを決意する。しかし書籍について知識のなかったあづさは、見ただけで紙の原料がわかるふしぎな力を持った双子の妹・さくらとともに、修行にまい進してゆく——。
青春小説であり、書誌学入門でもあるという、本邦初の「書誌学入門」ノベル！

推薦

延広真治（東京大学名誉教授）
大場利康（某大規模図書館員）
纐纈くり（大屋書房）

ISBN978-4-909658-41-8 ｜四六判・並製・280頁
定価：本体1,800円（税別）｜2020.12月刊